La integración social de las personas transexuales en Cuba

Mariela Castro Espín

La integración social de las personas transexuales en Cuba

Prólogo
Mayra Espina Prieto

EDITORIAL CENESEX

2017

Editor:
LIC. RUBÉN CASADO GARCÍA

Diseño interior y composición:
LIC. MIRIAM HERNÁNDEZ RODRÍGUEZ

Diseño de cubierta:
D.I. GABRIELA GUTIÉRREZ CASTRO

Fotografía de cubierta:
PAOLO TITOLO

Lectura especializada:
DRA. ADA C. ALFONSO RODRÍGUEZ

ISBN 978-959-7187-91-2

Editorial CENESEX
Calle 10 esquina a 21, El Vedado
La Habana, Cuba

E-mail: revisex@infomed.sld.cu

**Impreso: Empresa de Artes Gráficas
Federico Engels**

A Vilma Lucila Espín Guillois, precursora
de esta lucha en Cuba. Ejemplo e inspiración.
A Raúl Modesto Castro Ruz,
por su sensibilidad y apoyo. Pasión y perseverancia.
Gracias por enseñarme a creer en lo «imposible».

A Paolo Titolo, Gabriela, Lisa, Paolo Raúl, mi vida entera.

A mis tutores Mayra Espina Prieto y Ramón Rivero Pino,
por su tiempo y amistad, generosidad intelectual,
guía imprescindible y gratificante.

A Mayra, Ofelita, Yodalia, Caritere, que dedicaron tantos años
de su vida profesional al bienestar de las personas transexuales.

A Elsie Plain Rad-Cliff, por su serena sabiduría.

A José Rivas Recaño, por su aliento profesional.

A mis amigas y amigos del CENESEX y de la Comisión Nacional
de Atención Integral a Personas Transexuales,
por su colaboración permanente.

A las estudiantes, especialistas y amigas que forman parte
del proyecto de investigación del CENESEX
sobre integración social de personas transexuales.

A mis editores Ada C. Alfonso Rodríguez, Rubén Casado García y Teresa
de Jesús Fernández González, por su profesionalidad y dedicación.

A todas las personas transexuales que depositan su confianza
en esta investigación y en el CENESEX.

Índice

A manera de prólogo, primeras líneas

El libro que lectoras y lectores tienen ahora ante sí y comienzan a hojear, en rigor no necesita prólogo ni presentación alguna. La labor investigativa de su autora, por su historia personal, pero especialmente por su compromiso propio y activismo público *a favor de la comprensión y el reconocimiento de derechos de las personas transexuales y en general de la equidad social, es conocida entre cubanos y cubanas y más allá de los límites del país.*

Por ello acepté su afectuosa invitación para escribir las primeras líneas, solo por el placer de acompañarla en este empeño noble y para aprovechar la oportunidad que su libro ofrece de resaltar la relevancia, para el momento de cambio que vive Cuba, de una agenda de investigación social que tribute a los temas de equidad, justicia y derechos, en el encuadre de una política social que se comprometa cada vez más con una universalidad sensible a las diversidades.

Descubiertos mis propósitos (todo prologuista los tiene), pretendo, muy brevemente, compartir con quienes decidan leer desde el principio —soy consciente de que la mayoría se salta el prólogo y va directamente al texto principal, verdadero protagonista— algunas claves para una lectura en profundidad.

Comienzo por decir que se trata de un libro científico, que recoge y sintetiza los hallazgos más relevantes de un proceso investigativo que ha durado años y que M. Castro ha desarrollado desde el centro que dirige, el CENESEX, como base de conocimiento para los servicios de consulta y asesoría social y psicológica que este centro ofrece en diversos campos relacionados con la salud y la educación sexuales y las identidades de género. Científicos sociales y de la salud, estudiosos y activistas de los temas de género, decisores y especialistas relacionados con las políticas sociales encontrarán aquí un libro inspirador, pues su autora comparte y transparenta, de forma amena y bien sistematizada, su recorrido intelectual (por el mundo de los enfoques, historia, conceptos, metodologías y debates de los temas de género y transexualidad), los resultados de su investigación empírica y una propuesta de actuación en el campo de las políticas sociales de integración.

Sin embargo, más allá de la atención de los pares iniciados que el libro tiene asegurada por estos méritos, la forma clara y directa en que está escrito, la honestidad crítica de la autora y la relevancia y el carácter polémico cotidiano del tema que aborda (la transexualidad en nuestro contexto), me permiten predecir que el texto despertará el interés de lectores no especializados, movidos por una legítima curiosidad y sensibilidad hacia los problemas de la sociedad en que viven.

Ante el tema de la diversidad de orientación sexual e identidades de género como objeto de investigación y de políticas de inclusión, en nuestro país es frecuente la reacción pública que considera que se trata de un problema de minorías (muy poca gente está afectada) o de un interés académico antojado de originalidad, un tanto espurio, y, en todo caso, que tiene solución dentro de los servicios sociales y de salud ya existentes. Esto dentro de las variantes de percepciones menos negativas, pues sigue estando presente —espero que en retroceso— la visión francamente reaccionaria que considera que conductas fuera de la norma hetero son anormalidades, desviaciones que afectan a la sociedad y que se requiere corregirlas o ignorarlas.

La primera clave de lectura que quiero resaltar, es que de este libro podemos extraer tres corolarios sencillos para desmontar tales precepciones.

Uno: la gravedad de la existencia de mecanismos de exclusión y discriminación de un grupo o comunidad en una sociedad dada es de naturaleza ética cualitativa. No se mide por la cantidad de personas que la padecen, dato obviamente relevante, pero no suficiente, sino por la intensidad del sufrimiento que ocasionan y por la fuerza del daño que provocan a la dignidad humana, a la posibilidad de satisfacción plena de las necesidades de las personas y al despliegue de sus capacidades y esperanzas legítimas. Los estudios que dan base a este libro prueban con amplitud de argumentos la gravedad ética de la exclusión por motivos de identidad de género —obvia en la realidad empírica, pero no siempre percibida— y la pertinencia de estudiar sus bases y causas en nuestra sociedad para proponer acciones que permitan superarla.

Dos: sociedades que aprehenden patrones de discriminación, pueden incorporar (de hecho incorporan) sistemáticamente nuevos criterios de discriminación. La autora parte de que todas las discriminaciones comparten igual origen: un entramado de relaciones económicas y de poder en cuya base «normal» de funcionamiento se incluyen operaciones de enajenación material y simbólica, que justifican y requieren la inferiorización del otro (otros). La «variable crítica» para esa disminución puede ser diversa en cada sociedad y contexto histórico (negros, indios, judíos, mujeres, ancianos, extranjeros, campesinos, pobres, enfermos, dementes, homosexuales...), pero cuando la matriz de disminución del otro se establece culturalmente significa que las sociedades han aprehendido un mecanismo de reproducción con fuerte peso de los estereotipos, prejuicios y estigmas, que siempre puede aplicarse a algún «nuevo otro», muy difícil de desmontar y que naturaliza y acepta como irremediables, o causadas/merecidas por las propias víctimas, las exclusiones, desigualdades y desventajas.

Tres: la recursividad y el reforzamiento mutuo de exclusiones diversas. La autora es consciente de que su tema de estudio está inserto en un contexto nacional contradictorio, en el cual, a la vez que funcionan disímiles opciones de integración social para las grandes mayorías, actúan también factores de generación y trasmisión generacional de desventajas socioeconómicas que afectan a grupos concretos, ya sea por el peso de la historia (de la esclavitud, del patrón patriarcal) o por políticas económicas y sociales cuyo homogenismo —que asume el erróneo supuesto de que todos los grupos solucionan sus necesidades con iguales ofertas— les impide superar del todo estas rémoras y acaban reproduciendo desigualdades.

Debo aclarar que uso aquí la noción de desventaja socio-económica para aludir, mínimamente, al acceso relativamente inferior o de menor calidad de un grupo determinado a los bienes y servicios de que dispone una sociedad (empleo, ingresos, alimentación, vivienda, cultura, salud, educación, consideración social, participación, entre otros) y la presencia de mayores obstáculos comparativos para la movilidad social ascendente. Se trata de una situación que tiende a su reproducción y agudización en el tiempo, con pocas opciones para superarla por parte de los afectados, si no se implementan políticas para modificar las condiciones estructurales que crean tales barreras.

Sin detenernos en este tema, para no alargar un prólogo intencionadamente breve, baste decir que en el caso de Cuba diversos estudios han documentado, como puede encontrarse en el cuerpo de este libro con las referencias correspondientes, desigualdades y brechas de equidad que afectan sobre todo a las mujeres —sus ingresos, su acceso a cargos de dirección y a propiedades y emprendimientos son comparativamente menores que el nivel alcanzado por los hombres—; a la población negra y mestiza (sobrerrepresentada en la franja de pobreza,[1] *en las peores condiciones de vivienda, hábitat y empleo, en los grupos de menores ingresos); a la población rural y de comunidades apartadas (menor disponibilidad y acceso a servicios sociales); a territorios del oriente del país (menores opciones de desarrollo económico y social, sobrerrepresentación en la franja de pobreza); a la tercera edad (menores posibilidades para satisfacer necesidades específicas relacionadas con el envejecimiento).*

Así, en sociedades en las que actúan diversos mecanismos de reproducción de desventajas, estos suelen entrecruzarse y reforzarse, de forma tal que cada condición de desventaja que afecte a una persona o grupo social, reforzará y multiplicará su situación de exclusión. Ello exige una visión integral, de exclusiones múltiples, para comprender el estado de la desigualdad en una sociedad concreta y actuar en consecuencia.

Compartidos estos corolarios con la esperanza de que una lectura atenta nos haga más conscientes de la sociedad en que vivimos y de la necesidad de sustituir exclusiones recursivas por solidaridades recursivas, quiero ahora remarcar otros valores del libro que, a mi modo de ver, hacen que su publicación signifique una contribución sustantiva a los estudios sociales y de género en el país.

1 Pobreza se define como imposibilidad de satisfacer, a partir de medios propios, las necesidades básicas individuales y familiares (por ejemplo, alimentación, vivienda, vestimenta y transporte). Estudios de inicios de la primera década del siglo XXI indican la existencia de 20% de población urbana en esta condición.

Llamo la atención sobre el hecho de que M. Castro eligió un camino de problematización positiva; esto es, se pregunta como punto de partida cómo propiciar la integración social de las personas transexuales en el contexto actual de la sociedad cubana. Esa interrogante meta marca metodológicamente una pauta para el estudio: la construcción de evidencias empíricas y su interpretación deben hacerse en clave de actuación propositiva, orientadas a la producción de insumos para una política pública.

Para la investigación social esta elección de problema no es neutral; constituye un verdadero reto, porque eleva su compromiso práctico y su rol de actor directo del cambio que propone, no le permite refugiarse en la cómoda voz de un crítico externo que ofrece a los operadores de políticas un conjunto de principios generales que ellos deberían tratar de implementar, sino que demanda la construcción de una propuesta de actuación viable desde las políticas sociales, en el contexto nacional o local concreto en que deba ser aplicada.

Este tipo de estudios, muy necesarios en nuestro país para que la ciencia social pueda ciertamente nutrir la toma de decisiones, tiene algunos requisitos metodológicos específicos, entre los que me interesa resaltar cinco por su aún débil manejo en nuestras investigaciones aun cuando declaren objetivos propositivos de cara a políticas públicas.

El primero de estos requisitos es la identificación de una hipótesis de cambio: la investigación debe describir un escenario de partida (conflictual, en tensión), un escenario deseado y posibles rutas de modificación del conflicto para acercarse a tal escenario. En este sentido las rutas de modificación o cambio no se prueban en la investigación, sino que son una conclusión de hipótesis plausible inferida.

El segundo requisito consiste en construir el cuadro de actores principales que intervienen en el conflicto o situación de partida, y preguntarse por el signo de su intervención (positivo o negativo, o ambos) en la generación y reproducción de tal estado de cosas, por la potencia de esa intervención y por la forma en que podría modificarse su actuación en una contribución positiva a la solución del conflicto. Se trata de asumir que la política social es un terreno de redistribución de poder y de articulación de sujetos diversos, lo que supone develar aquellos que pueden tomar decisiones en torno a políticas y sus discursos y límites, y el modelo de sociedad implícito.

El tercero supone un análisis histórico crítico y evaluación de las políticas sociales precedentes y en curso en el tema de que se trata, desde la óptica de cuál ha sido su capacidad real de generar inclusión y mejoramiento de la situación del grupo al que están dirigidas (sus beneficiarios previstos) y sus posibles efectos indeseados de exclusión. Es una especie de reconstrucción forense o evaluación ex post facto de políticas que precave del error de proponer acciones que han fallado en el pasado o de débil potencial de modificación de las situaciones de partida.

El cuarto requisito es la interseccionalidad del análisis y de la propuesta de política o estrategia de cambio. La interseccionalidad constituye un modelo analítico aplicable a contextos atravesados por procesos de exclusión, que permite identificar los cruces, convergencias y articulaciones entre diferentes factores de exclusión. La idea es que las personas y grupos sociales en desventaja pueden estar (y generalmente están) afectados por exclusiones múltiples y que un ámbito de exclusión muchas veces presupone o genera otra exclusión. De tal manera, proveer inclusión requiere actuar simultáneamente sobre un haz de exclusiones articuladas.

Un quinto requisito es desvictimización de los afectados por los procesos de exclusión en estudio. Esta exigencia ético-metodológica significa que el proceso investigativo debe a la vez constituir una posibilidad de dignificación de los excluidos, a través de la consideración activa de su voz, su memoria y demandas, y de la contribución a la deconstrucción de autopercepciones negativas que forman parte esencial de la reproducción de las exclusiones y su expresión más dramática. De igual modo, se incluye aquí una consideración de su condición de actores y protagonistas en la esfera política, a través del impulso a su ciudadanía activa.

Solo para estimular la lectura y sin develar demasiado lo que encontrarán en el texto, les adelanto que con estos cinco puntos como guía explícita o implícita, la investigación de Mariela Castro que este libro recoge llega a conclusiones para nada complacientes: ella nos alerta de que en nuestro país las personas transexuales experimentan discriminaciones, exclusiones y segmentaciones en ámbitos tan relevantes para una vida digna como el trabajo, la familia, la educación, los derechos y la cultura. Sus reflexiones desembocan en lo que ella define como una estrategia para la integración social de las personas transexuales, entendida como marco general para el establecimiento de una política pública referida a las identidades de género.

Finalmente les invito a que lean con atención esta propuesta de estrategia, que marca un punto de inflexión con relación a la tradición del socialismo cubano de políticas universales basadas en la homogeneidad de la oferta que, para decirlo en el estilo de M. Castro, es una concepción en términos de totalidad homogeneizada, con una mirada corta hacia la otredad, que integra a partir de incorporar a la pauta del poder y no por la vía de un real reconocimiento de la diversidad.

Es un libro que hace pensar, que conmueve y compromete.

DRA. MAYRA ESPINA PRIETO

Introducción

Todas las formas de discriminación tienen el mismo origen, pero se expresan de maneras diversas de acuerdo con los contextos sociohistóricos específicos. Se gestan en el seno de sociedades cuyas economías se basan en la explotación de los seres humanos, para lo cual se han establecido desbalances de poder en medio de las personas. Entre estas relaciones económicas de explotación y los procesos de naturaleza cultural y moral, se asienta un conjunto de mediaciones y articulaciones que se reproducen y recrean en el mundo de los valores, percepciones y representaciones, estigmas y estereotipos que inferiorizan a determinados grupos humanos y les condenan a la exclusión social.[1]

La experiencia socialista cubana heredó estos códigos históricos, que entraron en contradicción con posiciones emancipadoras emergentes propias del desarrollo de un proyecto revolucionario que ha logrado cambios significativos en el campo de la justicia y la equidad social, con beneficios notables en los sectores femenino, infantil y juvenil (Castro, 2002; Martínez, 2008; Centro de Estudios Demográficos, 2009; Proveyer *et al.*, 2010), y en otros sectores que han sido objeto de discriminación (Pérez y Lueiro, 2009; Morales, 2010). No obstante los avances, diversos estudios recientes muestran que se continúan reproduciendo situaciones de inequidad asociadas al color de la piel, la condición femenina, las generaciones y los territorios de residencia (Espina, Martín, Núñez y Ángel, 2008; Espina, 2010; Zabala, 2010), así como otras relacionadas con las orientaciones sexuales

[1] «La exclusión social debe ser entendida como la acumulación de procesos que confluyen de las sucesivas rupturas provenientes del corazón de la economía, política y estructura social, que gradualmente distancian y sitúan a personas, grupos, comunidades y territorios en una posición de inferioridad en relación con los centros de poder, recursos y valores predominantes» (Estivill, 2003, p. 19).

(Pereira, 2007; Castro, 2011a y 2011b) y las identidades de género, que constituyen todavía un problema por resolver.

Orientación sexual e identidad de género son constructos biomédico-normativos de la modernidad, que posteriormente han tenido desarrollos importantes en el campo de los derechos humanos,[2] expresados en principios y nuevas legislaciones y políticas establecidas actualmente por muy pocos países, con la intención de proteger los derechos de las personas con identidades y conductas que no se ajustan a los patrones establecidos por la ideología dominante para la sexualidad y el género; por tanto, constituyen recursos de gran utilidad en las luchas de los movimientos sociales que reivindican estos derechos.

Del esquema de pensamiento dualista que históricamente ha caracterizado a la cultura occidental (mente-cuerpo, naturaleza-cultura, sujeto-objeto, biológico-social), la dicotomía hombre-mujer, masculino-femenino es una de las más resistentes al cambio y el principal obstáculo a los anhelos emancipadores de las personas con identidades que no se ajustan a las normativas del binarismo sexo-género.

Al cuestionar los enfoques reduccionistas de la diversidad y pluralidad de identidades, el antropólogo español José Antonio Nieto argumenta:

[2] Según los principios sobre la aplicación de la Legislación Internacional de Derechos Humanos en relación con la orientación sexual y la identidad de género, conocidos como Principios de Yogyakarta, la *orientación sexual* se refiere a la capacidad de cada persona de sentir una profunda atracción emocional, afectiva y sexual por personas de un género diferente al suyo, o de su mismo género, o de más de un género, así como a la capacidad de mantener relaciones íntimas y sexuales con estas personas, mientras que la *identidad de género* se refiere a la vivencia interna e individual del género tal como cada persona la siente profundamente, la cual podría corresponder o no con el sexo asignado al momento del nacimiento, incluyendo la vivencia personal del cuerpo (que podría involucrar la modificación de la apariencia o la función corporal a través de medios médicos, quirúrgicos o de otra índole, siempre que la misma se escoja libremente) y otras expresiones de género, que incluyen la vestimenta, el modo de hablar y los modales (Principios de Yogyakarta, 2006, p. 8).

> Entender de forma rígida la identidad del sujeto a través de la sexualidad y hacer de la anatomía genital el centro de esa identidad es parte del problema. Máxime cuando la identidad del varón y de la mujer, además, se configuran en sociedad, con carácter permanente, por medio de roles de género, masculinos y femeninos. Si a la rigidez identitaria y conductual de género se suma el hecho de que la heterosexualidad se privilegia con relación a la homosexualidad, estamos situados ante un modelo médico de contenidos dualistas: varón-mujer, masculino-femenino, heterosexual-homosexual. Este modelo polarizado, ante la diferenciación que no se ajusta a sus criterios dicotómicos, constreñido por sus propios límites, se ve «obligado» a patologizar identidades y conductas. (Nieto, 2008, p. 320)

De tal manera, es la reflexión biomédica la primera que produce un análisis específico y de mayor impacto social sobre el tema de lo que hoy llamamos transexualidad. Las primeras referencias en la literatura médica (occidental) sobre personas que rompían con las normativas médico-jurídicas del género, se atribuyen al médico alemán Richard Freiherr von Krafft-Ebing en su obra *Psycopathia sexualis* (1886). Desde entonces los principales aportes al tema provienen de la medicina, y no es hasta mediado del siglo XX que aparecen contribuciones desde una aproximación médico-psicoanalítica (Stoller) y etnometodológica (Garfinkel). Posteriormente fueron apareciendo otros aportes significativos desde la psicología social, la sociología y la antropología.

El impacto de la visión médico-patológica sobre las ciencias sociales, en el análisis de la pluralidad de identidades no normativas, ha contribuido a fortalecer los estereotipos que conducen a su rechazo, discriminación y exclusión social. En este contexto nace la transexualidad como enfermedad y queda emplazada bajo el control social de la psiquiatría.[3] En consecuencia, las conductas de las personas transexuales se diferencian negativamente como anormales, perversas, trastornadas y desviadas.

3 El vocablo *transexualidad* o *transexualismo* fue definido como categoría diagnóstica por el endocrinólogo Harry Benjamin y posteriormente Fisk lo acuñó como disforia de género, marcando un hito en el tratamiento de la transexualidad.

Se puede afirmar que las *personas transexuales* son aquellas que expresan inconformidad y sufrimiento por la contradicción entre la imposición social de un rol de género asignado (de acuerdo con el sexo biológico de nacimiento en correspondencia con la morfología de sus genitales) y el género con el cual se identifican.[4]

No es habitual que se hable acerca de esta realidad humana como algo que puede acontecer en cualquier grupo social. La ignorancia y el silencio contribuyen a que la sociedad no se considere «preparada» para asumir el respeto y la aceptación de las personas transexuales tal y como son. Estas personas, desde la infancia temprana, sufren incomprensión y rechazo en su contexto familiar, escolar y laboral, así como en otros espacios institucionales y comunitarios. De manera arbitraria, se persiste en «ajustarlas» y «recluirlas» en un cuerpo con el que no se identifican, a partir de normas y expectativas tradicionales, históricamente construidas, que tienen implicaciones negativas para estas personas y la sociedad (Castro, 2008).

Son referentes universales no solo el malestar psicológico y clínicamente significativo que sufren las personas transexuales, sino también las diferentes formas de violencia que padecen a lo largo de sus vidas, desde las expresiones verbales peyorativas hasta los crímenes de odio, la exclusión del ámbito familiar, la imposibilidad o las dificultades para encontrar un trabajo digno, la patologización manipuladora y el lucro del que son víctimas desde el ejercicio de las ciencias médicas, principalmente en el campo de la salud mental y la cirugía. También son víctimas del abuso de las autoridades policiales

4 «En el contexto español, se suele denominar transexual a aquella persona cuyo sexo anatómico de nacimiento no concuerda con su sexo psicológico (o identidad sexual) y que, por este motivo, adopta una serie de estrategias encaminadas hacia la adecuación física de su sexo psicológico. Con este objetivo, la persona hará lo posible por iniciar un proceso de tratamiento hormonal y a menudo también quirúrgico conocido como proceso transexualizador. Pero, además, dada la estrecha ligazón cultural existente entre el sexo anatómico (es decir, la presencia o no de pene, testículos, vagina, ovarios, mamas) y la identidad de género (es decir, el que sea considerado socialmente y se considere a sí mismo como hombre o como mujer), la identidad sexual se entrelaza con la identidad de género hasta el punto de volverse prácticamente indistinguibles» (Puche, Moreno, Pichardo 2013, pp. 191-192).

y migratorias, el abandono escolar que ocasiona el predominio de un bajo nivel de instrucción y la tendencia a la conducta suicida (Marcasciano, 2002; Gómez, Esteva y Fernández-Tresguerres, 2006; Alfonso y Rodríguez, en Castro, 2008; Rodríguez, García y Alfonso, en Castro, 2008; Nieto, 2008; Shelley, 2008; Conapred, 2008; Arrietti y otros, 2010; Lamas, 2012; García, 2013; Puche, Moreno y Pichardo, 2013).

Existen suficientes evidencias sobre el sufrimiento que generan las condiciones de discriminación, exclusión y segmentación de este grupo social en el mundo, que obstaculizan su integración plena a las redes sociales y familiares, así como su participación plena en las oportunidades de educación, salud, vivienda, trabajo y cultura, entre otras.

Se utilizan con frecuencia los términos *transfobia* o *fobia de género* para referirse a la discriminación específica hacia las personas transexuales. Recientemente se ha definido como *transprejuicio* la valoración negativa y el tratamiento estereotipado y discriminatorio de individuos cuya apariencia y/o identidad no está conforme con las expectativas sociales actuales o las concepciones convencionales de género.

Es importante significar que también las personas transexuales, como parte de la sociedad que les discrimina, reproducen los mismos prejuicios y estereotipos discriminatorios dentro de sus grupos sociales y hacia otros, en un círculo vicioso que produce y reproduce la exclusión y la desintegración social, y limita sus posibilidades como sujetos de derecho.

Este panorama general afecta a toda la sociedad, tanto a las personas transexuales, que se podrían considerar víctimas directas, como a quienes lo perpetran, que al sentirse presas de ira e indignación, en muchas ocasiones recurren a formas penalizadas de violencia extrema; en su propia condición de victimarios, disminuyen su dignidad, por lo que se convierten en víctimas indirectas de estos patrones sociales asumidos. El proceso civilizatorio occidental hegemónico y los criterios de normalización que impuso,[5] obstaculizaron la inclusión social de estas personas, por lo

[5] Hago énfasis en el vínculo entre la cultura occidental hegemónica y la discriminación a personas trans, entre otras identidades de género, puesto que, aunque no

que en la actualidad resulta muy difícil encontrar solución individual o grupal para este problema, que emerge como demanda de atención a nivel macrosocial.

Vencer un tipo de prejuicio o exclusión supone una contribución a la superación discriminatoria en sentido general, ya que las exclusiones, desigualdades e inequidades se refuerzan mutuamente y parten de una misma matriz ideológica configurada históricamente en la sociedad.

El debate acerca de este tipo de discriminación y sus posibles soluciones traspasa el estricto ámbito biomédico y se sitúa en un escenario social mucho más amplio, en el que las personas transexuales pasan de la condición de sujeto manipulado, estigmatizado y discriminado a sujeto transformador consciente.

El orden establecido para las categorías de sexo, género, deseo y práctica sexual en las sociedades modernas ha mantenido en el tiempo su originaria connotación de tabú para dominar a las personas mediante el control de sus cuerpos y sus necesidades. Esto explica por qué la producción de sentidos sobre las mencionadas categorías es uno de los elementos más resistentes al cambio de la conciencia social y las subjetividades en los procesos de transformación social. Son tan fuertes los prejuicios y el temor a enfrentarlos que inmovilizan la capacidad social para resignificar estas categorías desde paradigmas emancipatorios. Esto deja un vacío de contenido, sustituido por la vieja ideología con nuevo ropaje.

La sociología ha contribuido a reflexionar sobre cómo avanzar en la construcción de una sociedad democrática en la que la ciudadanía pueda ejercerse plenamente por las personas transexuales. Sus aportes facilitan el reconocimiento de los déficits de democracia para ciertos sectores de población y determinados grupos sociales, y la necesidad de pensar la relación entre ciudadanía y otras variables sociales como el género. En el caso de las personas transexuales, las evidencias empíricas demuestran una distribución de recursos políticos, económicos, culturales, simbólicos, de autonomía o de

---

es la única matriz cultural que los discrimina, existe la referencia de su inclusión en otras culturas. «En las culturas y tradiciones de los aborígenes de Norteamérica, en épocas previas a la colonización, no existía cosa tal como la dualidad de sexos» (Shelley, 2008, p. 22).

autoridad desproporcionada, con expresión en sus procesos de desintegración social.

El socialismo, como sistema social, propone la emancipación del ser humano. Sin embargo, cuando estas contradicciones se dejan a la solución espontánea, sin una intervención específica tanto desde el poder político como desde la sociedad civil, se obstaculiza el avance del proyecto de justicia e igualdad social y se perpetúan las políticas discriminatorias generadas en etapas históricas precedentes, que respondían a los intereses de las clases desplazadas del poder.

En Cuba, desde el triunfo de la Revolución (1959), se evidenció la voluntad política por parte del Estado y el gobierno para atender las diferentes formas de discriminación identificadas en cada momento de su decurso histórico. Por supuesto, esa intención política y su traducción a acciones concretas de inclusión social estuvieron constreñidas por los límites teórico-ideológicos que guiaron el proceso revolucionario cubano y su comprensión de las desigualdades y las exclusiones. En el caso específico de las identidades de género y la transexualidad, en sentido general, tales límites pueden describirse con tres elementos básicos: a) el predominio, a nivel institucional, de una concepción binaria, heteronormativa y de anclaje en el sistema sexo-género, que patologiza, estigmatiza y penaliza; b) la sólida instalación en la psicología cotidiana de esta concepción; c) cierto grado de invisibilización o pérdida de relevancia en las acciones de cambio relacionadas con los grupos sociales de orientación sexual e identidad de género no normativas, lo que respondía también al predominio del enfoque clasista internacional de la emancipación.

De tal manera, si bien puede afirmarse que el tratamiento institucional a las personas transexuales comenzó de forma relativamente temprana en el país —por iniciativa de la Federación de Mujeres Cubanas (FMC), y se estableció en el Sistema Nacional de Salud Pública desde 1979, asumiendo el único modelo científico de referencia internacional aprobado, ese mismo año, por la Asociación Internacional de Disforia de Género Harry Benjamin—, el contexto político y social de comprensión y no exclusión de las identidades de género diversas ha evolucionado de forma contradictoria, con avances y retrocesos, acciones positivas y represivas, características que lo marcan hasta hoy.

Un avance significativo que abre nuevas posibilidades de acción, es el hecho de que en la práctica científica se pasó paulatinamente del paradigma biomédico al social. Esto supone cambiar la dirección del problema, centrado en la figura patologizada y manipulada de la persona transexual, para apuntar hacia la sociedad y más específicamente hacia los patrones que imponen relaciones de poder y despojan de derechos a estas personas. Sin embargo, los esfuerzos desplegados no son suficientes respecto a la subsistencia de mecanismos de discriminación y exclusión social que vulnerabilizan a la población transexual y generan dificultades en sus procesos de integración social.

En la práctica política se generan las capacidades para identificar diferentes expresiones de desigualdades sociales y desarrollar acciones para superarlas. Por lo tanto, la idea central de la presente investigación es aportar conocimientos para propuestas concretas de políticas públicas que faciliten el desarrollo de la conciencia crítica en grupos de decisión y en las personas transexuales, respecto a los procesos de desintegración social y sus causas.

En la actualidad, la práctica de diseño de políticas sociales se orienta al manejo desde categorías positivas (*integración*, *inclusión*), lo que permite superar el enfoque de «minimizar o atenuar males» y desplazarse hacia el de «generar bienes», producir cambios de progreso y desarrollo, reconstruir derechos vulnerados. El enfoque de integración social utilizado en esta tesis ha resultado ser un valioso recurso para sacar a la luz las problemáticas invisibilizadas de las personas transexuales en la sociedad cubana actual, para proponer una estrategia que incida en las políticas públicas. Es importante significar que el enfoque de integración social utilizado en este trabajo no consiste en promover la adaptación pasiva de las personas transexuales a las condiciones sociales de existencia, sino en ofrecer pautas para establecer una política social que estimule su participación activa en los procesos de transformación social, con el fin de actuar sobre las causas de la discriminación, exclusión y segmentación a que son sometidas y garantizar el pleno disfrute de sus derechos.

La búsqueda de literatura científica que aborda el tratamiento social de la transexualidad, permitió constatar que en Cuba se han realizado escasas investigaciones, entre las que se destacan el libro *La transexualidad en Cuba* (Castro, 2008) y un estudio de la representación social sobre la sexualidad en un grupo de transexuales de la ciudad de La Habana (Guerra, 2010).

Sobre la base de lo planteado, se considera entonces que, en las condiciones de la sociedad cubana actual, la problemática de la transexualidad, de la integración social de las personas transexuales y del ejercicio pleno de sus derechos ha desbordado el ámbito de lo estrictamente personal, familiar y médico, y se está configurando como objeto que reclama intervención social a través de políticas públicas.

Una estrategia para la integración social de las personas transexuales debe analizar las diferentes perspectivas que se entrecruzan en el tratamiento de la problemática. Otro aspecto a tener en cuenta respecto al diseño de la estrategia, es que las desventajas que afectan a las personas transexuales se articulan con el universo de relaciones sociales y del estado de la equidad que caracteriza a una sociedad concreta. Por lo tanto, las vivencias de estas personas deben analizarse en sus vínculos complejos con otras ubicaciones socioestructurales como clase, género, origen social, raza, territorio y religión, lo que sugiere la pertinencia de considerar el fenómeno de la interseccionalidad,[6] tratado en Shelley (2008). También se requiere un conjunto de acciones que permitan la inclusión de las personas transexuales en la sociedad como sujetos de derecho.

El diseño de una estrategia integral para la integración social de las personas transexuales tiene utilidad y pertinencia en la sociedad cubana contemporánea, ya que, por una parte, aportará a la caracterización de la situación social de las personas transexuales y a su integración social, y, por otra, podría aportar al perfeccionamiento

[6] Interseccionalidad: un modelo teórico para pensar la articulación entre los sistemas de opresión, desarrollado por la intelectual afroestadounidense Kimberlé Williams. Plantea que la interseccionalidad es inherente a toda relación de dominación y que, como estructura de dominación, impide o debilita las tentativas de resistencia. Este concepto ha sido muy útil para superar la conceptualización aritmética de las desigualdades socio-raciales como fruto de la convergencia, fusión o adición de distintos criterios de discriminación de las mujeres, y para desafiar el modelo hegemónico de La Mujer Universal y comprender las especificidades de la experiencia del sexismo de las mujeres racializadas como el producto de la intersección dinámica entre el sexo/género, la clase y la raza en unos contextos de dominación construidos históricamente (Viveros, 2009).

de los mecanismos sociales que favorezcan la superación de esta forma de discriminación mediante una herramienta para la toma de decisiones políticas, inexistente, además de ayudar a llenar el «vacío» de información y de recursos metodológicos necesarios, con el fin de configurar una política pública dirigida a eliminar las brechas de equidad e igualdad que afectan a este grupo social, y a potenciar la institucionalidad pública cubana para estos fines.

A partir de ello, una política pública orientada a posibilitar la integración social de las personas transexuales en Cuba, debería actuar simultáneamente sobre las dimensiones de naturaleza estructural, cultural e intersubjetivas desde una intención participativa.

Este trabajo brindará los siguientes aportes:

- la sistematización teórica, desde la ciencia sociológica, de los estudios acerca del género y sus implicaciones respecto a la transexualidad;
- la argumentación acerca del proceso de desintegración/integración social de las personas transexuales y la necesidad de contribuir desde las políticas públicas a la superación de este problema social;
- la valoración acerca de la situación de integración social de las personas transexuales en Cuba;
- la periodización acerca de la configuración de la educación sexual como política social en Cuba;
- la caracterización de las condiciones sociales en que se desarrolla el proceso de integración social de las personas transexuales como punto de partida para el diseño de una estrategia de integración social respecto a estas personas;
- la propuesta de una estrategia de integración social como insumo para la política social y la garantía de derechos de las personas transexuales.

Esta investigación constituye una prioridad del Centro Nacional de Educación Sexual (CENESEX), institución del Ministerio de Salud Pública (MINSAP) de la República de Cuba, coordinadora del Programa Nacional de Educación Sexual (PRONES); además, da respuesta al objetivo principal de la Comisión Nacional de Atención Integral a Personas Transexuales y al objetivo número 57 de la Conferencia Nacional del Partido Comunista de Cuba (PCC), en el que se define:

> Enfrentar los prejuicios y conductas discriminatorias por color de la piel, género, creencias religiosas, orientación sexual, origen territorial y otros que son contrarios a la Constitución y las leyes, atentan contra la unidad nacional y limitan el ejercicio de los derechos de las personas.

El *problema científico* que marcó la ruta crítica de la investigación fue: ¿cómo propiciar la integración social de las personas transexuales en el contexto actual de la sociedad cubana?; el *objetivo general* asumido: proponer una estrategia que facilite la integración social de las personas transexuales en el contexto actual de la sociedad cubana; y los *objetivos específicos*: valorar los principales aportes de la sociología a la comprensión de la transexualidad como base para su tratamiento desde políticas públicas; sistematizar evidencias sobre la existencia de procesos de exclusión social, discriminación y segmentación que afectan a las personas transexuales y sus causas en la contemporaneidad; analizar la situación de integración social de las personas transexuales en la sociedad cubana actual; valorar las condiciones sociales que favorecen, y las condiciones sociales que limitan, la integración social de las personas transexuales en el contexto actual de la sociedad cubana, con vistas a elaborar una estrategia que desarrolle su integración social.

Se trata de un estudio de carácter fundamentalmente *analítico crítico propositivo* debido a la complejidad de la temática tratada y a la relativa ausencia de antecedentes investigativos que aborden el tema desde la perspectiva de acciones políticas públicas en Cuba. El diseño de la investigación se caracteriza por ser cualitativo holístico triangulado; es decir, construye evidencias empíricas a partir, en esencia, de la comprensión y las percepciones que del problema tienen los sujetos involucrados en su reproducción desde diferentes roles y posiciones sociales, y contrasta y hace dialogar (triangula) estas subjetividades con el contexto histórico en que se producen y con datos que muestran su evolución y medidas. De tal manera, si bien los contenidos subjetivos valorativos son materia esencial del análisis, ello se complementa con evidencias de orden cuantitativo y contextual.

La concepción metodológica que se propone, se fundamenta en el análisis integrado que se ha realizado de los términos de naturaleza sociológica: participación social, justicia social y cohesión social, expresados en los índices de exclusión social, discriminación y segmentación, que se transforman operacionalmente en unidades de análisis teórico para el proceso de indagación. Sobre esta base se aplicaron técnicas de indagación que permitieron obtener información empírica acerca del proceso de integración/desintegración social de las personas transexuales, aportada por estas personas y grupos de decisoras y decisores. El discurso de los sujetos que integran la muestra y su interpretación acerca de los procesos de discriminación, exclusión y segmentación social a los que han sido sometidas las personas transexuales, constituyeron los elementos esenciales para el análisis de los resultados.

Los conceptos básicos utilizados son: integración social y contexto actual de la sociedad cubana. La *integración social* se define como una compleja red de relaciones que se entreteje entre tres elementos básicos para su existencia: participación social, justicia social y cohesión social. Por *contexto actual de la sociedad cubana* se entiende el conjunto de ámbitos significativos en los que se concreta la integración social de las personas transexuales. Se consideraron doce ámbitos analíticos: persona transexual; grupos de personas transexuales; familia; entidades laborales, educativas, culturales, religiosas y de salud; Consejos Populares; organizaciones sociales; normativa jurídica y políticas públicas.

Como métodos teóricos de investigación, se utilizaron el analítico sintético, el tránsito de lo abstracto a lo concreto, el inductivo-deductivo y el histórico-lógico, mientras que a nivel empírico se emplearon el análisis de documentos, el cuestionario y la entrevista semiestructurada en profundidad.

En relación con los procedimientos de análisis de la información, es necesario señalar que se realizó cualitativa y cuantitativamente. Fue valorado por expertos el contenido de los instrumentos, se analizó el sentido latente y manifiesto del material informativo utilizado y se consideró el cumplimiento de cada atributo en cada ítem del instrumento. Se creó una base de datos en el sistema operativo SPSS para Windows versión 21.

El libro presenta la investigación «Estrategia para la integración social de las personas transexuales en el contexto actual de la sociedad cubana» en opción al grado científico de Doctor en Ciencias

Sociológicas realizada por su autora en la Facultad de Filosofía e Historia, del Departamento de Sociología de la Universidad de La Habana, con la tutoría de los doctores en Ciencias Mayra Espina Prieto y Ramón Rivero Pino. Se presenta en tres capítulos: el primero, «Sistematización de los principales resultados teóricos acerca de la transexualidad. Los aportes del feminismo y de la ciencia sociológica»; el segundo, «La integración social como enfoque para el estudio de la transexualidad»; y el tercero, «La integración social de las personas transexuales en el contexto actual de la sociedad cubana». En este último se presentan los resultados de la investigación y la propuesta de estrategia para la integración social de las personas transexuales en Cuba, como soporte para la política.

Sistematización de los principales resultados teóricos acerca de la transexualidad. Los aportes del feminismo y de la ciencia sociológica

La transexualidad como noción científica

Desde la antigüedad, en diferentes momentos de la historia y en las más diversas culturas, existen numerosas referencias, tanto científicas como mitológicas, que revelan la existencia de lo que actualmente se conocen como personas transexuales, travestis, intersexuales, transgéneros o personas trans. Estas realidades estuvieron acompañadas de interpretaciones y reacciones polarizadas por parte de la sociedad, que pasaban desde la aceptación, la inclusión e incluso la adoración, hasta la indiferencia, el rechazo o la exclusión, expresados en la normatividad y el léxico social como formas políticas e ideológicas de dominación y control sobre las personas.

> … en la Edad Media (y posteriormente en la Edad Moderna) las personas hermafroditas, travestis o que cambian de roles se incluían entre los casos de «desviaciones o prodigios de la naturaleza». En muchas ocasiones, su aparición representaba un mal presagio, y la familia o el desdichado/a que lo padecía sufrían las iras de la población. En otras ocasiones recibían la asistencia de los médicos y cirujanos de la época, algunos de los cuales incluso intentaron realizar un abordaje médico del problema. Los relatos literarios o historias de ciertos personajes sin duda reflejaban una realidad presente. (Gómez, Cobo y Gastó, 2006, p. 83)

Numerosos estudios dan cuenta de la presencia universal del hecho transexual en disímiles sociedades, culturas, geografías y momentos de la historia en los que estas personas han sido integradas plenamente a la organización social, pero también de su transformación violenta, como resultado de los procesos de dominación colonial perpetrados por las sociedades europeas.

> … el fin de la Edad de Oro de la transexualidad y de la homosexualidad en el continente americano, prolongado hasta el siglo XV y el XVI,

> llegó cuando irrumpió en él la sociedad castellana, cuyo historial había propiciado una estructura de dominación económica muy profunda y ya trimilenaria en la «revolución urbana», una escisión radical entre ricos y pobres … y, por tanto, una tendencia igualmente profunda al binarismo de género extremo en el que la transexualidad y la homosexualidad no tenían casi ningún sitio por lo que empezó un duradero proceso de represión cuya imagen más permanente es la de los feroces perros que llevaban los conquistadores azuzados contra las personas transexuales/homosexuales, o indígenas «dos espíritus». (Pérez, 2010, p. 99)

Esta afirmación, basada en evidencias científicas, nos sitúa frente a las siguientes interrogantes: ¿por qué en determinados momentos la sociedad ha aceptado la transexualidad y en otros la ha rechazado?, ¿cuáles son los aspectos causales y en qué se manifiesta la desintegración social de estas personas?, ¿qué estrategia sería pertinente desarrollar para revertir esta situación? Estas son algunas interrogantes a las que pretende dar respuesta la presente investigación.

El interés científico por la transexualidad adquiere especial relevancia en la sociedad occidental entre los siglos XIX y XX, cuando se realizan las primeras descripciones en la literatura médica. El primer cuadro clínico compatible con un caso de transexualidad no es mencionado hasta 1853 por Frankel (Gómez, Cobo y Gastó, 2006). En 1894, el psiquiatra alemán Richard Freiherr von Krafft-Ebing describió una forma de vestirse según el otro sexo que denominó *metamorphosis sexuales paranoicas*, en su obra *Psychopatia sexualis*. Algunos investigadores consideran que el término *transexualidad* es abordado en la literatura médica por David Cauldwell en su obra *Psychopathia transexualis,* publicada en 1949. Sin embargo, en la prolífera obra del sexólogo alemán Magnus Hirschfeld ya se describía como una forma de intersexo (1923), aunque no establecía diferencias entre travestismo, transexualidad y homosexualidad afeminada. Se considera que Hirschfeld aportó elementos fundamentales para la indagación científica de las identidades trans, con sus investigaciones sobre el «tercer sexo», los «estados intersexuales intermedios» y el «travestismo».

Desde los inicios del siglo XX comenzaron a publicarse descripciones sobre las primeras intervenciones quirúrgicas y hormonales, pero no es hasta mediados de ese siglo que se define la transexualidad o transexualismo como categoría diagnóstica por el endocrinólogo y sexólogo de origen alemán Harry Benjamin. En su libro *The Transsexual Phenomenon*, publicado en 1966, abre el camino a los estudios médicos sobre la transexualidad de manera sistemática e inaugura el discurso hegemónico sobre la patologización/medicalización de las identidades trans. Con el diagnóstico de la transexualidad se establecieron los parámetros para justificar las cirugías de cambio de sexo que ya se estaban realizando (Garaizábal, 1998).

En la segunda mitad del XX se intensifica la medicalización del tratamiento a las personas transexuales con los avances de la endocrinología y la cirugía reconstructiva. Este proceso está vinculado, según Marta Lamas, a lo que Bolívar Echeverría nombró «la americanización de la modernidad» (Lamas, 2012) como tendencia principal del desarrollo en el último medio siglo, cuyo rasgo peculiar es el progreso.[1] De este período se reconocen tres investigadores estadounidenses que aportaron ideas fundamentales a los estudios de la sexualidad y especialmente en la comprensión de la transexualidad: el psicobiólogo John Money, el psicoanalista y médico psiquiatra Robert J. Stoller y el sociólogo y etnometodólogo Harold Garfinkel.

[1] «Estados Unidos se convierte, en pocos años, en el centro intelectual del debate sobre la identidad de género y el núcleo promotor de los protocolos y tratamientos al respecto. El florecimiento de una industria médica endocrinológica y quirúrgica va de la mano del desarrollo de un discurso académico que sostiene y justifica la intervención. Bourdieu y Waquant (2001) [en *Las argucias de la razón imperialista*] denuncian como productos culturales norteamericanos las agendas de investigación, promovidas por las universidades, las fundaciones filantrópicas y las agencias multilaterales. Ese es precisamente el caso con la investigación sobre el tratamiento médico de la transexualidad (la llamada "cirugía de reasignación de sexo") que alentó la Erikson Education Foundation, una institución creada por una persona transexual y bajo cuyos auspicios se fundó la instancia reguladora de la transexualidad a nivel mundial: la Harry Benjamin International Gender Dysphoria Association que cambiará de nombre a partir de 2006 por The World Professional Association for Transgender Health, WPATH). Esta organización marcó mundialmente la comprensión y el abordaje terapéutico de la transexualidad, y fijó los lineamientos de atención: los *Standards of Care*» (Lamas, 2012, p. 9).

Money introdujo el término *gender* en oposición al sentido biológico atribuido al término *sexo*, como resultado de sus estudios sobre hermafroditismo y la condición intersexuada, desde un posicionamiento conductista. Toma el término *género* (masculino, femenino o neutro) de la lingüística para «liberarse» de la sobrecarga terminológica, impuesta desde las ciencias biomédicas, a la palabra *sexo* en la interpretación de la complejidad de los individuos intersexuados o que, al nacer, los médicos se ven imposibilitados de asignarles un sexo por la ambigüedad morfológica de sus genitales. Él comprendió que el problema se encuentra «afuera del cuerpo», en la construcción sociocultural de lo femenino y lo masculino, que se corresponde con el sexo al nacer: hembra o macho. Entre 1955 y 1957, junto a Jean y John Hampson, presentó el concepto *rol de género* para indicar «*all those things that a person says or does to disclose himself or herself as having the status of boy or man, girl or woman*» (todas esas cosas que una persona dice o hace con el fin de revelarse que posee el estatus de muchacho u hombre o de muchacha o mujer) (Lamas, 2012, p. 24). Este aporte en el campo de las ciencias médicas tiene un antecedente importante en el término *rol social* aportado por la sociología en el siglo XX.

Stoller, al asumir la tesis de Money y los Hampson sobre la diferencia entre sexo y género, da un paso significativo al incorporar el concepto *identidad de género*, vinculado al desarrollo de la masculinidad y la feminidad, en su libro *Sex and Gender I* (1968). Este autor aplica por primera vez la categoría *género*, aportada por Money, al estudio de personas transexuales. Al respecto expresó:

> Lo que determina el comportamiento de género de esas criaturas no es su sexo (biológico), sino las experiencias vitales después de su nacimiento, un proceso muy complicado que empieza con el etiquetamiento autorizado de la criatura por la sociedad como macho o hembra. (Stoller, 1984, p. viii)

Con este punto de vista, Stoller introduce el elemento histórico en el análisis de la transexualidad y reconoce que la solicitud de cirugía por estas personas es consecuencia de los avances tecnológicos de la medicina.

Después del estudio del caso Agnes (una supuesta persona intersexual que realmente era transexual y burló a los médicos para conseguir la operación de cambio de sexo) publicado en el capítulo V del libro *Studies in Ethnomethodology* (Garfinkel, 1967), Stoller publicó *The Transsexual Experiment* (1975), en el que consideró la transexualidad como una aberración de género. Sin embargo, Garfinkel desarrolló una perspectiva de análisis social desde el punto de vista de la etnometodología que centraba la atención en el carácter «natural» del comportamiento de Agnes en la construcción de su identidad de género.

Probablemente la lógica de las concepciones de base de Money y de Stoller haya determinado sus diferentes posiciones en torno al proceso de medicalización de la transexualidad que prosperaba en esos momentos: Money desarrollaba los tratamientos hormonales y quirúrgicos, mientras que Stoller optaba por los psicoanalíticos.

En 1973 el médico inglés Norman M. Fisk propuso el término *síndrome de disforia de género* para denominar no solo a la transexualidad sino también a otros trastornos relacionados con la identidad de género. Con este término se designaba «... a la insatisfacción resultante del conflicto entre la identidad de género y el sexo asignado» (Becerra, 2003, p. 66). En 1980 se introdujo el término *transexualismo* como diagnóstico en el *Manual diagnóstico y estadístico de los trastornos mentales de la Asociación Americana de Psiquiatría (DSM-III)*, lo cual legitimó en el campo de las ciencias médicas la transexualidad como un desorden mental. Pocos años antes, en 1973, ya se había eliminado de este *Manual* la homosexualidad, después de consensuarse científicamente de que no se trata de una enfermedad. En su cuarta edición el *DSM-IV* (1994) abandonó el término *transexualismo*, utilizando en su lugar la expresión *trastorno de la identidad de género* (TIG) «... para designar a aquellos sujetos que muestran una fuerte identificación con el género contrario e insatisfacción constante con su sexo anatómico» (Becerra, 2003, p. 66). Posteriormente, en la décima edición de la *Clasificación internacional de enfermedades* (ICD-10, por sus siglas en inglés) se incluyó el término *transexualismo* como una de las cinco formas diferentes de TIG.

Los protocolos de tratamiento médico, aceptados internacionalmente, para atender a estas personas, incluyen la cirugía de reasignación sexual siempre y cuando el paciente cumpla con determinados criterios de elegibilidad y disposición. Numerosos estudios sostienen que la terapia quirúrgica es la manera más eficaz de calmar la extrema incomodidad psicológica que sufren las personas transexuales, y en algunas legislaciones se utiliza como hecho exclusivo para otorgar el cambio legal de sexo. Sin embargo, otros planteamientos también científicos rescatan que la cirugía no debe ser el único recurso para asegurar el amparo político-jurídico que ellos/ellas necesitan.

Estos elementos son de mucha importancia para comprender las reales necesidades de las personas transexuales y analizar las contradicciones que han existido y existen en relación con la atención que estas reciben a través de las estructuras y mecanismos sociales, específicamente en lo referido a cómo los dispositivos institucionales de poder de la modernidad han trabajado de forma unánime con el fin de instalar un régimen específico de construcción de la diferencia sexual y de género «... en el que la normalidad (lo natural) estaría representada por lo masculino, la otredad por lo femenino, mientras que otras identidades sexualizadas (transgéneros, transexuales, discapacitados...) no serían más que la excepción, el error o el fallo monstruoso que confirma la regla» (Biglia y Lloret, 2010, p. 215).

Los estudios sobre transexualidad han continuado su desarrollo en la actualidad con un predominante enfoquc biomédico que no ha sido capaz de dar respuestas a las contradicciones que median en la relación transexualidad-sociedad. A estos análisis están haciendo importantes contribuciones las ciencias sociales, que han puesto en evidencia un conjunto de contradicciones: se cuestionan el binarismo de género y centran la atención en las condiciones sociales que producen y reproducen las problemáticas de las personas transexuales. Una de esas problemáticas está relacionada con los procesos de discriminación, exclusión y segmentación social a que son sometidas estas personas, lo que ha pautado el interés de esta autora en la indagación científica acerca de la integración social de las personas transexuales.

La comprensión del tratamiento que en la literatura científica ha tenido la transexualidad, en un ejercicio de naturaleza sociológica, exige asumir como punto de partida para el análisis los aportes producidos casi un siglo antes por el pensamiento feminista, a partir del cual surge y se desarrolla la conceptualización sobre género. ¿Por qué es necesario partir del género para adentrarse en el estudio de la transexualidad? Porque en la problemática de la relación transexualidad-sociedad las expectativas y normas sociales de género, como constructo histórico-cultural, rechazan y castigan la transgresión de las mismas por parte de las personas transexuales, lo que provoca malestares y conflictos que obstaculizan la convivencia y el desarrollo de estas personas en la sociedad. En la actualidad, las personas transexuales siguen condicionadas por un modelo biomédico patologizador que las estigmatiza y margina.

Justamente cuando los equipos de investigadores liderados por Money y Stoller hicieron sus aportes al estudio de la transexualidad, influenciados por los estudios feministas, ya estaba en pleno desarrollo la llamada Segunda Ola del Feminismo, caracterizada por la defensa de los derechos políticos de las mujeres. Una de las voces más importantes fue la de la filósofa francesa Simone de Beauvoir que, al expresar «una no nace mujer, sino que se convierte en mujer», esbozó el concepto de género sin utilizar el término.

De forma paralela, la sociología ha aportado otros elementos de análisis sobre la presencia transexual en la sociedad moderna y centra el eje de sus cuestionamientos en la estructura de género. El/la transexual no desea romper las normas pautadas culturalmente para cada género (femenino y masculino). Todo lo contrario, demuestra su decisión de estar dentro de la norma, solo que, al sentirse «atrapado/a» dentro de un «cuerpo equivocado»,[2] necesita modificarlo, ajustarlo a su identidad de género, según lo que esté pautado por la sociedad. «Se puede decir que la transexualidad es un proceso de normalización en la estructura de género. Es un procedimiento por el cual ciertas personas cambian su posición en la estructura de género a fin de que respeten esa estructura» (Núñez, 2003, pp. 228-229).

Un estudio cualitativo realizado en Cuba sobre la representación social de la sexualidad en personas transexuales femeninas que han sido atendidas en el CENESEX, demuestra «… que ellas aceptan e incluso reproducen las normas y modelos sociales heterosexistas, que dan cuenta de la adscripción a un patrón de sexualidad tradicional típicamente femenino, como proceso subjetivo de una identidad deseada y configurada en su cotidianidad. Reproducen la sexualidad

[2] Tanto en el discurso de las personas transexuales como en la literatura científica, se encuentran expresiones como «estar en el cuerpo equivocado» y «sentirse atrapada/o» en otro cuerpo.

hegemónica en términos de sentido de pertenencia, aspiración y proyección de sus vidas» (Guerra, 2010, p. 89).

Lo anteriormente referido evidencia la importancia de trabajar en la deconstrucción del modelo dominante de género como un elemento necesario en la atención a personas transexuales, para que no queden atrapadas/os en la reproducción de estereotipos que les limita la posibilidad de participar con conocimiento de causa en la construcción de proyectos de vida auténticos, emancipados y dignos, por el bien individual y colectivo. La realidad indica que las personas transexuales asumen con esmero, de manera acrítica, los arquetipos de género. Esta situación sugiere el diseño de un proceso de acompañamiento profesional y de participación en espacios grupales y educativos que les ayude a reflexionar y generar una visión crítica sobre los modelos de dominación que subyacen en la cuestión de género. Implementar propuestas para la integración social de las personas transexuales presupone también el diseño de mecanismos políticos, cuyas agendas y prioridades se correspondan con las necesidades de este grupo social, al mismo tiempo que permita la interseccionalidad con otros grupos.

Visiones desde la sociología clásica para la comprensión del género

Para explicar qué se entiende por transexualidad y cuáles son los antecedentes fundamentales de este constructo desde el prisma de la sociología, se abordarán estos aspectos a través de la siguiente lógica expositiva: las visiones sociológicas con enfoque androcéntrico conservador, las posiciones de autores/as de la sociología que aportaron una mirada androcéntrica moderada y aquellos que avanzaron hasta la identificación de un necesario proceso de trasformación en relación con el tema (androcéntricos emancipadores), el desarrollo del feminismo como aspecto nuclear en la lucha por la reivindicación de los derechos de las mujeres y el posicionamiento de contemporáneos/as de la sociología.[1]

El carácter androcéntrico conservador que distinguió el discurso sociológico, no visibilizó suficientemente las problemáticas de las mujeres, y en el análisis de sus causas quedó acentuado el «carácter natural» del binarismo de género.

¿Cómo se expresó el enfoque androcéntrico conservador en los clásicos de la sociología?

El sociólogo francés Augusto Comte reconocía la disparidad entre los sexos como funcionales al orden social, por eso no la cuestionaba. Al ponderar la cualidad moral y afectiva de las mujeres, y afirmar que los sentimientos eran patrimonio de ellas, les asignaba un papel importante para mantener el orden y el progreso social. Sus elogios

[1] Siguiendo el punto de vista de Margrit Eichler (en Díaz y Dema, 2013), aquí se entiende por sesgo androcentrista (de una teoría o enfoque científico) un estilo de investigación y explicación causal que reconstruye la realidad desde una perspectiva masculina e ignora o minusvalora las experiencias de las mujeres e invisibiliza la especificidad de los problemas que las afectan.

hacia las mujeres se limitaban a la reproducción de los roles tradicionales, mientras que defendía la superioridad de los hombres tanto en la práctica como intelectualmente. Por lo tanto, no reconocía la igualdad entre los sexos.

Comte identificaba a las mujeres como el «grupo más representativo del principio fundamental sobre el que descansa el positivismo, el triunfo de los impulsos sociales sobre los egoístas» (Comte, en Ritzer, 2007, p. 111), porque brindaban a la política la necesaria subordinación del intelecto al sentimiento social, considerado este último como el elemento que garantizaba la unidad de la sociedad. Estas ideas las aplicó a su comprensión de la familia como la verdadera unidad social, en la que las mujeres cumplían la responsabilidad de mantener y trasmitir el orden socialmente establecido, expresado en las tradiciones.

El británico Herbert Spencer, precursor del darwinismo social, asumió algunas ideas de Comte. Sus principales coincidencias radican en que ambos desarrollaron las posiciones del estructural-funcionalismo y el positivismo, en defensa de los intereses de la clase burguesa y del sistema capitalista. Sobre esta base argumenta la teoría, que lo distingue de Comte, sobre la libre competencia del mercado, sin interferencias del Estado, como mecanismo para el progreso y «la supervivencia de los mejores», por lo que se opone a las políticas de bienestar y redistribución de la riqueza.

Su teoría del equilibrio social no supera la posición de Comte respecto a las funciones diferenciadas entre los hombres y las mujeres, como garantía para el orden social. «Resaltó los derechos y responsabilidades que tenía la familia y su contribución al equilibrio social destacando de la misma forma las funciones y compromisos que asumiría el Estado con respecto a la institución familiar» (Serrano, 2013).

El sociólogo francés Émile Durkheim defendió el punto de vista de las diferencias anatómicas entre los sexos como determinante causal de las diferencias funcionales que se habían operado en la familia moderna. Confeccionó un esquema sobre la diferenciación de funciones entre los sexos como condición del equilibrio del sistema social, sustentado sobre la base de la división social del trabajo como un fenómeno biológico natural. Su preocupación estuvo centrada en el análisis en torno a la división social del trabajo creada por la modernidad, que genera un nuevo tipo de solidaridad orgánica conyugal, razón del equilibrio de la familia, y sustenta la necesidad del desarrollo de políticas dirigidas a su protección (Fleitas, 2005, pp. 46-47).

Talcott Parsons, identificado como el principal defensor del paradigma del estructural-funcionalismo en los Estados Unidos de América, tomó varias ideas de Spencer y Durkheim sobre las diferencias funcionales entre los sexos como una condición para el equilibrio del sistema social. Al considerar que la sociología debía identificar las funciones a realizar por la sociedad para mantenerse en equilibrio y sobrevivir, ponderó los valores humanos más tradicionales de desigualdad entre los sexos y las clases.

Otro grupo de autores de la sociología aportaron una mirada también androcéntrica, pero moderada, acerca del género, en el sentido de que cuestionan y desnaturalizan la situación de desventaja femenina.

El filósofo y economista británico John Stuart Mill dedicó una parte de su producción intelectual al análisis crítico de la relación entre los géneros. En su obra *La esclavitud femenina* (1869) defendió los derechos de la mujer al voto y a la educación, la apertura en materia laboral y el cambio de las leyes matrimoniales; abogó por la transformación de las mentes mediante la educación; y cuestionó el papel de dominación que en este sentido jugaban las jerarquías católicas. Como político, apoyó medidas en favor de las clases menos privilegiadas y la igualdad de derechos para la mujer.

El sociólogo estadounidense George Simmel reflexionó, desde una perspectiva interaccionista, acerca del conflicto entre la cultura objetiva en expansión y la cultura subjetiva en proceso de empobrecimiento y subordinación, lo que denominó «la tragedia de la cultura». A pesar de no precisar su posición frente a la supremacía masculina, se pronunció por la justicia hacia las mujeres. Identificó a los hombres con la producción de la cultura objetiva (ciencias, tecnologías, artes, códigos morales,...) y a las mujeres con la cultura subjetiva, que identificaba con la individualidad, los sentimientos, las emociones más intensas y las relaciones humanas genuinas, que debían preservarse para evitar los efectos destructivos que tiene sobre los individuos la dominación de la cultura objetiva de la modernidad.

Los autores identificados con el enfoque sociológico androcéntrico moderado contribuyeron de diferentes maneras a la creación de un segundo punto de vista en el análisis del género que, a diferencia de la visión androcéntrica y conservadora, se sustentaba en el reconocimiento de los procesos discriminatorios hacia las mujeres. Con esta perspectiva se incorporaron nuevos elementos a la comprensión de la asimetría que caracterizaba las relaciones de género y sus correspondientes inequidades.

Estas aportaciones formaron parte del debate sobre género, que ha resultado ser una categoría cardinal en el estudio de la transexualidad. En el proceso histórico de pensar el género como una construcción cultural, también se visibiliza y debate acerca de las fronteras de esta categoría, especialmente a la luz de los malestares y correspondientes reclamos de personas intersexuales y transexuales.

Este es el contexto en el que Harold Garfinkel, con la colaboración del psicoanalista Robert Stoller, se acerca al abordaje de la transexualidad en el capítulo V de su libro *Estudios de etnometodología* (1967), en el que analiza la historia de Agnes. Garfinkel, uno de los promotores claves de la tradición etnometodológica en la sociología estadounidense, comprendió cómo Agnes producía y organizaba su vida cotidiana como mujer. Describió cómo actúan y se reproducen los modelos estables del accionar de género y esclareció elementos importantes relacionados con la construcción de la identidad de género.

En los estudios de la transexualidad, Garfinkel podría considerarse el primer sociólogo que se acerca a esta problemática, por lo que constituye un referente de consulta para el feminismo y el desarrollo de la sociología de género y de la sexualidad en la contemporaneidad. Según Marta Lamas:

> Garfinkel esclarece aspectos de la construcción de la identidad de género en uno de los relatos metodológicos más detallados y claros sobre la producción social del género … En ese sentido, Garfinkel se adelantó al feminismo de los setenta al exhibir cómo funciona el axioma de Simone de Beauvoir: no se nace mujer, se llega a serlo. (Lamas, 2012, p. 32)

No obstante los aportes que hace este pensador desde la etnometodología, las ciencias sociales entraron posteriormente en este debate.

Lo que se ha llamado aquí androcentrismo emancipador, se refiere a la postura que, además de desnaturalizar las diferencias de género, devela la estructura de poder que las sostiene y avanza hacia la propuesta de acciones transformativas desde la política.

El pensamiento marxista aportó una visión revolucionaria de la sociedad desde una perspectiva fundamentalmente macrosocial, en la cual ocupa un lugar central la lucha de clases como móvil para el cambio y el desarrollo. Karl Marx llamó la atención sobre la opresión y el conflicto en la vida social, y su expresión en los procesos de desigualdad social. En tal sentido, visualizó en la conciencia de clases y la revolución social, los mecanismos para encontrar la solución a las consecuencias de las crisis capitalistas. Desde esta perspectiva, el género implica no solo diferencias en el comportamiento, sino desigualdades de poder. Friedrich Engels aportó desde el paradigma del marxismo los elementos más contundentes en relación con este tema. El análisis histórico plasmado en su obra *El origen de la familia, la propiedad privada y el Estado* permite comprender la crítica a que somete el proceso de sustitución de los vínculos comunitarios por la propiedad privada y el reflejo de ello en el control privilegiado de los hombres sobre las mujeres y la descendencia, contexto en el que la familia monogámica y el matrimonio emergen como garantía de su propiedad y poder. Sus ideas constituyen una referencia para la defensa de las mujeres como trabajadoras y como sujetos de derechos.

Los clásicos del marxismo abordaron esta situación a partir de una visión sistémica y dialéctica de la vida, a la vez que se cuestionaron disímiles planteamientos acerca de la problemática familiar relativos a la crítica al patriarcado. Las preocupaciones de V. I. Lenin se concentraron fundamentalmente en la crítica que realizó sobre la situación de discriminación a las mujeres en la sociedad, pues abogó para que el Estado asumiera determinados servicios sociales que facilitaran la vida de las mujeres en la familia y en la sociedad. Fue el primero en llevar a la práctica social alguna de estas ideas al fundar el primer Estado socialista de la historia. Al marxismo clásico se le critica, como limitación en su comprensión de la problemática de género, su tratamiento subalterno con relación a las diferencias de clase. En este sentido, comparto la valoración que realiza la doctora Elsie Plain, cuando afirma:

> Por tanto, si aquí [se refiere a la explotación capitalista que radica en la condición del propio trabajo asalariado, capaz de crear valores superiores al costo de la fuerza de trabajo, que es lo que realmente vende el trabajador] radica la causa de toda explotación y la fuente de obtención de plusvalía de los burgueses, es lógico que ellos [Marx y Engels] se concentraran en la argumentación de dicha tesis y no se detuvieran en enfatizar sobre la situación particular de la mujer, que no fue ignorada en lo absoluto en el Manifiesto ni en el resto de su obra, en la cual se hayan abundantes referencias a este problema. (Plain, 2008, p. 3)

Principales aportes del feminismo al estudio de la transexualidad desde la categoría *género*

Para abordar la categoría *género* es ineludible tomar como su primer referente los aportes del pensamiento feminista, pues sobre la base de las luchas por los derechos de las mujeres se elaboró toda una concepción teórica para diferenciar el sexo biológico del aprendizaje social del género, o lo que algunos autores llaman *el sexo natural del sexo social*. El uso de esta categoría ha estado matizado por diferencias y contradicciones propias del proceso de desarrollo científico en cada momento histórico relacionado con las llamadas olas o etapas del feminismo.

Desde sus inicios los movimientos feministas[1] pusieron la mirada en la construcción social de la subordinación de las mujeres frente al mandato divino, ubicaron las demandas feministas en la lógica de los derechos en su universalidad y defendieron estrategias y leyes para conseguir la emancipación de las mujeres y de toda la

[1] «Existe un consenso general en reconocer que los movimientos sociales modernos son productos de la Revolución Francesa. Sin embargo, cuando se ha ubicado el año de 1789 como punto de origen de los movimientos modernos, su estudio y análisis se desarrolla principalmente en el transcurso de la segunda mitad del siglo XIX» (Rodríguez, 2009, p. 70). Esta afirmación se realiza a partir de los estudios de Gustav Le Bon (*Psicología de las masas*, 1895) sobre los movimientos sociales modernos, aproximadamente un siglo después de la Revolución Francesa. Sin embargo, Rodríguez reconoce el movimiento feminista como un movimiento social excluido por las teorías hegemónicas, y señala: «... más que un paradigmático ejemplo de nuevo movimiento social, constituye un paradigmático ejemplo del *Otro* sujeto colectivo en la teoría social que han analizado los movimientos sociales» (Rodríguez, 2009, p. 91).

humanidad.[2] Una parte de la producción académica feminista se ha caracterizado por desarrollar un enfoque relacional del género, que abarca el tratamiento de las diferencias dentro de las feminidades, de las masculinidades, entre hombres y mujeres, considerando también otras identidades vinculadas al género y a otras inserciones sociales. «El feminismo se ocupa de la transformación social de las relaciones de género» (Butler, 2006a, p. 289). Tanto desde el activismo como desde la teoría y la academia, ha aportado elementos sustanciales de análisis y transformación de la sociedad.

En el campo de la sociología, Patricia Madoo Lengermann y Jill Niebrugge-Brantley explican que la teoría sociológica feminista, derivada de la teoría feminista en general, sobre la base de los aportes de Carlos Marx, difiere, en algunos aspectos, de la mayoría de las teorías sociológicas:

- por su carácter interdisciplinario vinculado al activismo político (sociología, antropología, biología, filosofía, economía, historia, derecho, literatura, ciencia política, psicología y teología);
- porque las investigadoras feministas ponen mayor interés en desarrollar la comprensión crítica de la sociedad para transformarla en justicia, más que en la extensión de su disciplina de origen;
- porque la mayoría de los sociólogos han puesto en duda su credibilidad científica como para reconocer sus aportes, asociado a que la mayoría de sus creadoras no son sociólogas, a sus puntos de vistas nuevos y radicales, y, sobre todo, a la vinculación de sus investigaciones con el activismo político;

2 «Podríamos definir feminismos como el conjunto de políticas y teorías sociales desarrolladas por el movimiento social feminista que critican las relaciones pasadas y presentes de sometimiento de las mujeres y luchan para ponerles fin y transformar, así, la sociedad para hacerla más justa» (Nicolás, 2009). «Nos proponemos construir, con el esfuerzo de cada vez más mujeres y hombres, formas de organización genérica del mundo no opresivas y, además, en movimiento» (Lagarde, 2006, p. 21).

- por considerar que la teoría feminista no encajaba en ninguno de los paradigmas de la sociología, debido a que esta teoría llegó tarde al proceso de madurez teórica en el debate, entre lo macrosocial y lo microsocial, que determinó sobre esta división paradigmática;
- por ser una sociología distintiva del conocimiento, pionera en la identificación de nuevas sapiencias sobre la base de las experiencias de otro tipo de actor social, como las mujeres, los trabajadores y los propietarios, analizar las relaciones entre el conocimiento y el poder, y reconocer la parcialidad y responsabilidad de los/as investigadores/as;
- por ser un modelo distintivo de organización de la sociedad en el nivel macrosocial, que acentúa la influencia de la estructura social patriarcal y de la ideología dominante sobre las percepciones de la realidad de sus actores;
- por criticar la visión estructural/funcionalista de la sociedad y plantear que la sociedad no puede considerarse como un sistema de instituciones que funcionan de forma separada;
- por presentar una exploración de la situación relacional de las mujeres que altera la comprensión sociológica tradicional de la microinteracción;
- por ofrecer un modelo de actor situado responsablemente en un entramado de acciones de otros, colocado en situaciones por fuerzas que nunca previó ni controló;
- por referir un modelo de interacción intermitente de las mujeres que se distancia del modelo de interacción prototípica dominante de los hombres;
- por evidenciar la posición de subordinación de las mujeres respecto a los hombres y que las acciones y relaciones de las mujeres ocurren como respuesta a la experiencia pública cotidiana;
- por realizar una revisión del modelo de subjetividad de la sociología y plantear la existencia de un nivel subjetivo de la actividad social y el papel de la interpretación individual de los objetivos y las relaciones, considerando el papel subordinado de la cotidianidad de las mujeres y otros grupos sociales (Ritzer, 2003, pp. 353-409).

El desarrollo teórico, metodológico y práctico de la categoría *género* constituye una de las contribuciones más importantes del feminismo al esclarecimiento de problemáticas estudiadas por otras ciencias, como es el caso de la transexualidad.

> En el proceso de desarrollo de la categoría *género* hay varios momentos: el esbozo conceptual que hizo Simone de Beauvoir a finales de los años cuarenta; su surgimiento como categoría analítica en el campo de la psicología médica a finales de los cincuenta; su entrada al mundo de las ciencias sociales en los sesenta; su afianzamiento en la antropología en los setenta; su consolidación en las ciencias sociales en los ochenta[;] y en los noventa su adquisición de un perfil público al ser incorporado al ámbito político, tanto en la aplicación de la perspectiva de género a las políticas públicas[[3]] como en la lucha de las personas transexuales por la aceptación de su identidad de género. (Lamas, 2012, p. 23)

Las antropólogas feministas Sherry Ortner y Gayle Rubin pautaron el inicio de los estudios sociales en torno a los procesos de construcción genérica en sus contextos socioculturales. Rubin, en su artículo «El tráfico de mujeres: notas para la "economía política" del sexo», publicado en 1975, introdujo el constructo «sistema sexo/género» para dar cuenta del proceso cultural mediante el cual se simboliza como natural el condicionamiento del género por el proceso de sexuación, es decir, una construcción cultural a partir de las diferencias sexuales, mediatizada por las normas y expectativas socialmente establecidas (Lamas, 2012).

A partir de las ideas introducidas por estas investigadoras feministas, se publicaron numerosos estudios sobre género en el campo de la antropología y la sociología. Sin embargo, su aplicación inicial a las problemáticas de la transexualidad desde los debates feministas correspondió a las psicólogas sociales Suzanne Kessler y Wendy McKenna que, inspiradas en los estudios de Garfinkel sobre Agnes, se propusieron tomar como referencia la transexualidad para

[3] La autora citada refiere la gran difusión realizada a la perspectiva de género por instancias multilaterales como la ONU, el Banco Mundial y el Banco Interamericano.

profundizar en cómo se produce el aprendizaje de la construcción social del género en la interacción diaria. Con la publicación en 1978 del libro *Género: una aproximación etnometodológica*, se conocen sus puntos de vista, que consideran la transexualidad una transgresión a la naturalización de las asignaciones históricas de género (Lamas, 2012).

En sus estudios discreparon del binarismo de género y, mediante las experiencias de personas transexuales, evidenciaron el carácter no fundante de la diferencia sexual respecto al género, por lo que plantearon la necesidad de reconocer la perspectiva transcultural del género basándose en la aceptación que tenía la transexualidad en determinadas culturas. Estas afirmaciones fueron muy revolucionarias en relación con el nivel de desarrollo que tenían los estudios de género en esa época. Hasta el momento se reconocía como «natural» el condicionamiento del género por el sexo. Sin embargo, estas autoras dieron un viraje radical en la comprensión de la relación sexo-género, apoyándose en el análisis científico de los componentes biológicos, psicológicos, psicoanalíticos y sociales del género, lo que les permitió ofrecer evidencias de carácter etnometodológico relacionadas con el modo en que las personas transexuales se burlan del carácter «incuestionable» de las reglas de género, al concebir estrategias de interacción social para ser reconocidas por el género con el que se identifican y «pasar» por el otro sexo.

> Con esta construcción deliberada las personas transexuales acaban confirmando paradójicamente que solamente hay dos sexos y nada más. Por eso el reconocimiento de que existen otras formas de vivir la identidad se da posteriormente a partir de la visibilización de las personas transgénero. (Lamas, 2012, p. 39)

Los valiosos aportes de estas psicólogas sociales feministas no fueron suficientemente comprendidos hasta la década de los noventa con los estudios de Judith Butler.

La contradicción identificada en este análisis constituye uno de los aspectos fundamentales en que se sustenta la posición teórica y práctica de la autora de esta tesis doctoral respecto al tema, porque ha permitido llegar a la idea de que la estrategia de integración social de las personas transexuales no solo debe dirigirse hacia la sociedad, en el sentido de lo que le correspondería hacer a esta para integrar a las personas transexuales, sino también hacia las propias personas transexuales para que participen en la deconstrucción del modelo binario de género, diseñado para producir relaciones de dominación, en vez de reforzarlo con sus mecanismos de adaptación y aceptación, según las rígidas normas sociales establecidas, como se puede apreciar actualmente en la práctica social, lo que no contribuye a la emancipación de las personas transexuales.

En una sistematización sobre el estudio antropológico del género, realizada por Marta Lamas (2012), se plantea que durante la década de los setenta, la reflexión antropológica feminista sobre el género centra en sus análisis el reconocimiento de la complejidad del enfoque complementario de la relación sexo-género y la simbolización dual de dicha condición, y visualiza la particularidad de cada sexo en las características biológicas que lo distinguen reproductivamente. Estas ideas marcan una posición epistemológica sobre la sexualidad: la simbolización de la diferencia sexual atribuye características masculinas y femeninas de las que no escapa ningún ser humano.

Es evidente que en esta etapa el pensamiento social aún no alcanzaba a comprender las múltiples mediaciones bio-psico-sociales que tienen lugar respecto a la sexualidad y específicamente al reconocimiento de la simbolización del proceso de sexuación como parte de la construcción de la realidad.

En la década de los ochenta se desarrolló una perspectiva de análisis simbólico que se propuso desentrañar los significados de género en las prácticas sociales profundizando en los aspectos que caracterizaban la unidad dual de las oposiciones binarias sexo-género, y aportaban ideas de cómo funcionaba. Según Marta Lamas (2012), funcionaba como aparato semiótico y estructuraba los procesos de socialización. En esta etapa se inicia la diferenciación entre los estudios de las mujeres y los de género, y se le concede importancia al uso consecuente del lenguaje de género por sus implicaciones sociales.

Un momento de especial significación en la experiencia creativa del feminismo acerca de la relación género-transexualidad fue cuando en la década de los noventa, desde la antropología, Alice Schlegel afirmaba que el género es una construcción cultural que no tiene igual incidencia en los procesos de masculinidad y feminidad; o sea, no tiene que considerarse un aspecto que condicione el modo en que todos los hombres y mujeres asumen su identidad y roles de género. Sobre esta idea diferencia el carácter general y específico del género como constructo. Este podría considerarse como uno de los aportes más importantes de la antropología de la época a la comprensión de la condición genérica de las personas.

En este período se continúa profundizando en el conocimiento de las contradicciones entre la realidad que viven las personas y el modo en que se simboliza el proceso de sexuación. Al respecto, Marta Lamas afirma cuando referencia a la psicoanalista Virginia Goldner («Toward a critical relational theory of gender», en *Psychoanalytical Dialogue, 1*):

> … existe una paradoja epistemológica respecto al género: esto es, que el género es una verdad falsa pues, por un lado, la oposición binaria masculino-femenino es supraordenada, estructural, fundante y trasciende cualquier relación concreta; así masculino-femenino, como formas reificadas de la diferencia sexual, son una verdad. Pero, por otro lado, esta verdad es falsa en la medida en que las variaciones concretas de las vidas humanas rebasan cualquier marco binario de género y existen multitud de casos que no se ajustan a la definición dual. (Lamas, 2012, p. 48)

Los aportes del feminismo a la comprensión del género y la transexualidad fueron enriquecidos a partir de la década de los ochenta con visiones científico-académicas de pensadores de las ciencias sociales y humanísticas que no pertenecían al movimiento feminista. Algunos de ellos, como Bourdieu, Foucault, Guiddens, Derrida, Habermas y Rorty, incorporaron reflexiones que constituyen valiosos aportes al tema que aborda la presente investigación.

Ya desde la década de los noventa, la filósofa Judith Butler comenzó a desempeñar un rol fundamental en el análisis de la relación sexo-género, pues en su concepción del género como *performance* sitúa la mirada en el proceso de internalización e innovación en el que participan las personas para construir su identidad. Para la Butler el género no debía entenderse como una expresión inamovible, producto de la diferencia sexual. Ella enfatiza en el lado activo, innovador y creativo de los seres humanos al construir y desarrollar su condición genérica. Señala que la diferencia sexual se reproduce a través de la simbolización de la sexuación producida por las personas.

Estas ideas significaron un giro total en el tratamiento que hasta ese momento venía ofreciendo el feminismo a la relación sexo-género. Se puede apreciar cierto distanciamiento entre sus posiciones y las de las feministas de la segunda ola, que significaban la idea de la diferencia entre sexo y género, y el condicionamiento del segundo por el primero. Judith Butler estudia profundamente el mecanismo heterosexual y su normatividad, y comprende el papel preponderante que en este juega la reproducción.

Las experiencias de las personas trans fueron el sustrato que facilitó a Butler comprender que la identidad de género no se construye sobre la base de la diferencia sexual, sino en un proceso cultural de reproducción y producción, por parte de las personas, de normas y expectativas sociales vinculadas con el género.

Al argumentar cómo la subjetividad construye la visión binaria de las diferencias sexuales a partir de la influencia de lo socialmente establecido y lo presenta como lo natural y normal, Butler expresa su posición respecto al papel rector de lo simbólico cultural en la relación sexo-género y realiza una contundente crítica a las visiones que veían la base del género en lo cromosómico y anatómico. Al respecto, plantea que si el género es construido, también puede ser deconstruido. Por esta razón, a diferencia de las feministas, ella no separa las categorías *sexo* y *género*. Su posición revolucionó el pensamiento social y se caracterizó por su alto contenido político, al fundamentar cómo el enfoque binario de género servía a los fines de la exclusión y opresión social.

En el caso de las personas trans y queer, Judith Butler sostiene la idea de que como las mismas se apartan de los patrones dominantes respecto al género, se identificaron como anomalías, lo que servía a los intereses dominantes, por una parte, para legitimar las normas y expectativas establecidas respecto al binarismo y, por otra, para incorporar esta experiencia diferente a los mecanismos de comercialización del cuerpo y su control, algo muy coherente con la lógica del capital y sus implicaciones en términos de exclusión y opresión social. Por lo tanto, se puede afirmar que los aportes de Judith Butler se encuentran en el campo del desarrollo del pensamiento y en el de la política.

En la misma dirección epistemológica de Butler se pronunciaron algunas feministas como Donna J. Haraway, quien en 1995 afirmó que la distinción entre sexo y género no es adecuada, ya que responde a la trampa de una *lógica apropiacionista de dominación construida* dentro de las dicotomías androcéntricas de la epistemología moderna, es decir, al dualismo naturaleza/sociedad (Haraway, 1995). La epistemología feminista rompe así con esas dicotomías, y la influencia de Judith Butler es esencial en ello.

También Susana Narotzky ofrece en ese mismo año una definición de género y sexo que expresa la misma idea como conceptos, pues ambos, sexo y género son constructos culturales y sociales. Sin embargo, el sexo tiene un núcleo biológico irrecusable: la sexualidad reproductiva de la especie. El género es un concepto ligado a la reproducción social en su totalidad y, por lo tanto, la reproducción biológica (el sexo) puede y suele ser uno de sus componentes, pero no lo es *ab initio*, como núcleo de su definición, y podemos teóricamente imaginar sociedades en las que no lo fuera. Podríamos decir que donde termina el sexo continúa y/o empieza el género, pero también que las relaciones de género (aunque no solo estas) inciden en la construcción social del sexo (Narotzky, 1995).

El posicionamiento de los contemporáneos de la sociología

El pensamiento sociológico contemporáneo respecto a la sexualidad y al género se caracteriza por visualizar la importancia de los componentes biológicos; sin embargo, ha reconocido como aspectos esenciales (y por eso les ha prestado mayor atención) la simbolización, los significados y la relación de esos procesos con el poder en sus múltiples mediaciones, considerando, por supuesto, las implicaciones de esta articulación para las personas, los grupos e instituciones y la sociedad en su conjunto.

En este capítulo se realiza una valoración de lo que la autora considera los principales aportes de la sociología contemporánea al tema objeto de análisis; se exceptúan los que provienen del feminismo por haberse analizado en el capítulo anterior. Se centrará la atención en el vínculo entre sexualidad y género, y las teorías sobre el delito y la desviación, el discurso, el conocimiento y el poder.

Las teorías sobre el delito y la desviación

Para la comprensión de la transexualidad desde la sociología resultan muy útiles también las teorías sobre el delito y la desviación.

Desviación social es un término usado para denotar cierto tipo de conductas que se apartan y violan las normas socialmente establecidas, ante las cuales los sistemas de dominación emplean métodos de control social, o sea, mecanismos de control específicos. Los actos de desviación son particulares en cada contexto y ello depende del orden social prevaleciente. Las desviaciones sociales se consideran positivas o negativas, lo que depende de la naturaleza de la desviación en sí misma, de su vínculo con elementos idealmente considerados positivos o negativos desde el punto de vista moral. Estos aspectos fueron analizados por autores como Durkheim y Merton, exponentes de la corriente funcionalista de la sociología, quienes concedieron a la desviación un poder sancionador. Según estos autores, en todas las sociedades hay desviación, por lo que se trata de un hecho normal que se debe aceptar como parte de la realidad social, por lo que no debe considerarse siempre como negativo ni anularse a ultranza. El funcionalismo apunta que la desviación contribuye a presionar los controles sociales.

En ocasiones las actitudes y comportamientos de las personas transexuales se asumen por otros grupos sociales como conductas desviadas; por tanto, se trata de formas de actuación no correspondientes a las consideradas «normales» y esperadas por otros agrupamientos sociales. Esta situación es generadora de contradicciones y conflictos que en muchas ocasiones provocan lesiones y daños de diferentes tipos a las personas transexuales.

En la literatura científica, la desviación social se explica a partir de diferentes enfoques: biogenético, psicológico, psicosociológico y sociológico. Este último centra su atención en el papel de las estructuras sociales, de los ambientes, como mecanismos de presión para que las personas eviten desarrollar conductas desviadas socialmente.

Un aspecto importante de estas teorías de la desviación es que identifican la desviación con lo patológico, lo que revela la presencia de enfermedad, evidentemente a partir de una analogía médica. Este es uno de los puntos de contacto de este enfoque con la vida de las personas transexuales, a las cuales, como se ha planteado con anterioridad, se les ha considerado durante mucho tiempo personas enfermas.

Ante esta situación es necesario, como parte de un análisis de la relación desviación social-transexualidad, responder a interrogantes como: ¿de qué normas sociales se trata?, ¿quiénes las impusieron?, ¿a qué intereses sirven?, ¿cuáles son los objetivos que persiguen?, ¿qué tipo de mecanismos existen o funcionan para que la sociedad las acate y se conforme con ellas?, ¿qué sucede cuando no se acatan?

Un lugar especialmente significativo entre las teorías sociológicas que abordaron el tema de la desviación, lo ocupa la *teoría del etiquetaje* (Howard S. Becker y Edwin Lemert, Erwing Goffman). Según esta teoría, la desviación y la conformidad se definen no tanto por las acciones de las personas como por la respuesta del entorno social a esas acciones. Lemert argumentaba que, en vez de pensar que el delito conduce al control, sería más provechoso pensar que son las agencias de control las que estructuran y hasta producen el delito.

Goffman enfatizó en el papel de las marcas sociales (estigmas) y sus connotaciones sociales como elementos de los que se sirve la sociedad para definir a las personas, y en lo difícil que les resulta a ellas separarse de estas marcas, de esas imposiciones sociales, lo que puede hacer a las personas identificarse con esas marcas que marginan y hasta incurrir en delitos. El estigma adjudicado a una persona puede llegar a convertirse en su estatus dominante: lo que haga esa persona se explica por la marca impuesta, por el estigma. En algunas ocasiones esos estigmas se aplican de manera formal y pública, lo quc Harold Garfinkel denominaba las ceremonias de degradación (Garfinkel, 1956). El etiquetaje retrospectivo es aquella interpretación del pasado de una persona a la luz de la etiqueta o del estigma que tiene en el presente.

Esta teoría resulta muy útil a cfcctos de comprender los procesos de discriminación, segmentación y exclusión social a que son sometidas las personas transexuales, como personas supuestamente desviadas. Actualmente la palabra *estigma* se utiliza para designar el mal en sí mismo y no sus manifestaciones corporales. Hoy los tipos de males que despiertan preocupación, han cambiado, evidentemente en función de los intereses de los sistemas de dominación imperantes en cada momento y contexto específico. Los estigmas desacreditan y confirman la normalidad impuesta por los otros. En ocasiones los estigmas se denominan defectos, fallas o desventajas. En el caso de las personas transexuales, la relación de estos con los servicios de salud lo ha demostrado, al ser visualizadas y comprendidas como personas menospreciadas.

Es necesario comprender la afirmación de Goffman cuando plantea que un estigma es, pues, realmente una clase especial de relación entre atributo y estereotipo, y que existen tres tipos fundamentales de estigmas, dentro de los que sitúa las abominaciones del cuerpo, los defectos del carácter del individuo y los estigmas tribales de la raza, la nación y la religión (Goffman, 1993, p. 12). En todos los casos coexiste un denominador común, en calidad de rasgo sociológico: individuos que podían haber sido aceptados en intercambios sociales corrientes y que por poseer determinado rasgo que puede imponerse por la fuerza a la atención de los demás, lleva a alejarse de ellos, anulando el llamado que pueden hacer sus otros atributos. Lo peor es que este supuesto está en la base de discriminaciones que inciden negativamente en las posibilidades de vida de las personas estigmatizadas. Por lo tanto, la sociedad ha construido una teoría del estigma, una ideología que permite inferiorizar a los seres humanos e identificarlos como peligros, lo que provoca el rechazo hacia los mismos y su limitada posibilidad de participación social y de inclusión en procesos sociales.

Incluso la relación entre iguales estigmatizados implica la resignación de estos a vivir en un sistema de relaciones en el que sienten que les falta algo, en el que no pueden experimentar un completo estado de bienestar. Las personas transexuales, por ejemplo, tienden a reunirse en grupos y a compartir sus vivencias, sus logros y dificultades sociales, como una forma de poder expresarse libremente y de ser auténticas; sin embargo, reconocen su necesidad de ser aceptadas, de compartir con las demás personas, de ser reconocidas y de vivir integradas.

Tiene razón Goffman al afirmar que sociológicamente el problema fundamental relativo a estos grupos es su lugar en la estructura social (Goffman, p. 148). Las eventualidades que enfrentan estas personas en la interacción cara a cara son solo una parte del problema y no pueden comprenderse totalmente sin una referencia a la historia, al desarrollo político y a las estrategias habituales del grupo. Por tanto, los que llevan una existencia precaria, ya sea constante u ocasional, constituyen un continuo único, y su situación vital puede analizarse con el mismo marco de referencia.

La anterior idea de ese autor permite comprender que algunas normas y expectativas socialmente establecidas constituyen mecanismos de descalificación de muchas personas, que por tanto pueden influir en su fracaso. Las normas de identidad específicamente generan lo mismo divergencias que ajustes. Existe una relación directa entre estigmas e identidad, en cuya relación desempeñan un importante papel las normas y expectativas en calidad de mecanismos de regulación y control social. Podría afirmarse entonces con Goffman que el normal y el estigmatizado no son personas, sino más bien perspectivas (Goffman, p. 160).

El psiquiatra Thomas Szasz cree que la enfermedad mental es una invención social: se denomina loco a aquel que pone en duda las costumbres o valores de una sociedad, de lo que depende el bienestar de los privilegiados. Aunque estas ideas no son compartidas por la mayoría de los psiquiatras, es importante que se precise la diferencia entre la enfermedad mental y la conducta diferente, a fin de evitar que la psiquiatría se ponga al servicio de los sectores dominantes, al servicio de las estigmatizaciones que dañan los procesos de salud y de las que no resulta fácil salir. No es un secreto, como se conoce, la existencia de la medicalización de la desviación, que consiste en la interpretación de cuestiones ajenas a la medicina, como la moral o las leyes, en clave médica o psiquiátrica. Se trata de la sustitución de un conjunto de etiquetas por otro (los diagnósticos clínicos de sanos o enfermos).

Resulta evidente la diferencia que existe entre la transgresión que se define en términos morales y la que se define en términos médicos. Ante la primera, las personas se convierten en delincuentes e infractores que merecen castigo. Ante la segunda, se convierten en enfermos, en alguien que necesita un tratamiento.

En esta teoría se estudia la conducta desviada no tanto en términos de una acción como de la reacción que esa conducta provoca en los demás. Este enfoque teórico le imprimió un análisis político al estudio de la desviación, ya que en las etiquetas entran en juego los intereses de los grupos sociales respecto al poder. Los autores de esta corriente de pensamiento también entienden la conducta desviada como una forma de resistencia.

Dentro del enfoque del interaccionismo simbólico, la teoría del etiquetaje permite de forma efectiva introducir la perspectiva de género e identidad de género. A nivel de sociedad global, se juzga a partir de estándares diferentes las conductas de hombres y mujeres; y en forma particular, las de las personas transexuales. Estos procesos se llevan a cabo teniendo en cuenta con frecuencia las etiquetas, las marcas sociales. Ha sido fundamentado en la literatura internacional y demostrado empíricamente que los hechos y las personas se analizan y se toman en cuenta considerando las relaciones de dominación o de subordinación en que estas personas se encuentran respecto al poder.

Son cada vez mayores las fuentes que revelan los tipos de conductas que emplean hombres y mujeres de acuerdo con su género, así como los de las personas transexuales de acuerdo con su identidad. A partir de estos estudios han aparecido nuevas investigaciones que han puesto al descubierto los elementos de discriminación, exclusión y desintegración sociales a que han sido sometidos unos y otras, tanto por la vía de las relaciones interpersonales como por medio de la actividad de las instituciones sociales. Un denominador común (sobre todo en las aportaciones de las feministas) en este tipo de vínculo social ha sido la influencia del sistema patriarcal y de lo que ha sido denominado como masculinidad hegemónica.

Como representantes de la sociología crítica, hija legítima de los desarrollos del marxismo, Ian Taylor, Paul Walton y Jock Young se interesaron en los ordenamientos sociales que han obstruido (y en las contradicciones sociales que aumentan) las posibilidades que tiene el hombre de alcanzar: su socialidad plena; un estado de libertad respecto de las necesidades materiales y, por tanto, de los incentivos materiales; la liberación de las limitaciones que impone la producción forzada; y la abolición de la división coactiva del trabajo; en suma, un conjunto de ordenamientos en los que no exista necesidad alguna de criminalizar la llamada conducta desviada (Taylor, Walton y Young, 1973).

En el tratamiento de esta idea, llegaron a las siguientes conclusiones:

1. *Los orígenes mediatos del acto desviado*. El origen del acto desviado debe situarse en el marco de sus orígenes estructurales más amplios (por ejemplo, las zonas ecológicas, la posición subcultural, la distribución de las oportunidades, el contexto social general de las desigualdades de poder, riqueza y autoridad, y los procesos psicológicos de exclusión de la interacción normal), para dejar de lado la concepción del hombre como individuo atomizado, aislado, de condiciones subculturales concretas y alejado de las presiones de la vida en las condiciones sociales prevalecientes.
2. *Los orígenes inmediatos del acto desviado.* La teoría debe explicar las diferentes formas en que las exigencias estructurales son objeto de interpretación, reacción o uso por parte de hombres ubicados en diferentes niveles de la estructura social, de tal modo que hagan una elección socialmente desviada.
3. *La comprensión del acto en sí mismo*. Los hombres pueden estar en condiciones de elegir una determinada solución para sus problemas, pero no estar en condiciones de llevarla

a cabo. Una adecuada teoría debe poder explicar la relación entre las creencias y la acción, entre la racionalidad óptima que los hombres han elegido y la conducta que realmente manifiestan.

4. *Los orígenes inmediatos de la reacción social.* El acto desviado puede ser consecuencia en sí mismo de las reacciones de los demás. La ulterior definición del acto puede ser producto de las relaciones personales estrechas. Es importante identificar las posibilidades y las condiciones que determinan la decisión de actuar contra el desviado.
5. *Los orígenes mediatos de la reacción social.* La psicología social de la reacción social solo puede explicarse teniendo en cuenta la posición y los atributos de aquellos que instigan la reacción contra el desviado. Estos orígenes se encuentran en los grupos ocupacionales y sus particulares necesidades, en un conjunto de intereses pluralistas definidos bastante ambiguamente, en relaciones de autoridad/sometimiento dentro de asociaciones imperativamente coordinadas, o en simples relaciones políticas de dominación/subordinación. Señalan que uno de los requisitos formales, importantes en una teoría plenamente social de la desviación, es un modelo efectivo de los imperativos políticos y económicos que sirven de base, por un lado, a las ideologías legas y, por otro, a las cruzadas e iniciativas que periódicamente aparecen ya sea para controlar la cantidad y el nivel de la desviación, ya sea para lograr que ciertos comportamientos dejen de figurar en la categoría de ilegales.
6. *La influencia de la reacción social sobre la conducta ulterior del desviado.* Uno de los méritos de la perspectiva de la reacción social era que permitía ver al actor como alguien que emplea de diversas formas la reacción que provoca. El desviado siempre tiene cierto grado de conciencia acerca de las posibles reacciones contra él, y sus decisiones ulteriores se originan en esa conciencia inicial.
7. *La naturaleza del proceso de desviación en su conjunto.* Los autores acusan a los enfoques positivistas de no poder explicar la economía política del delito, entendida como el marco de la acción delictiva, ni lo que se ha denominado la economía política, la psicología social y la dinámica social

de la reacción social ante la desviación (Taylor y otros, 1973, pp. 284-292).

Los autores reconocen que después de haber incursionado por la esencia de las diferentes teorías del delito y la desviación, descubrieron que no solo había aumentado la cantidad de presos, sino también que las teorías han sido más o menos incapaces de hacer frente a los provocativos problemas básicos planteados por la persistencia del delito, la desviación y el disenso. Una de las críticas que hicieron estos autores a los teóricos examinados, es la forma en que desvinculan al hombre de la sociedad (Taylor y otros, p. 295).

Para ellos, hay un punto básico de acuerdo con algunos sociólogos clásicos: la abolición del delito es posible dentro de ciertos ordenamientos sociales. De quedar claro, decían, que una criminología que no esté normativamente consagrada a la abolición de las desigualdades sociales, de riqueza y poder en particular, y sobre todo de bienes y posibilidades vitales, caería inevitablemente en el correccionalismo, y todo correccionalismo está ligado de forma indisoluble a la identificación de la desviación con la patología. Reconocen además que para ellos la desviación es normal en el sentido de que los hombres se esfuerzan conscientemente por afirmar su diversidad humana. Consideraban que era imperioso crear una sociedad en la que la realidad de la diversidad humana no estuviese sometida al poder de criminalizar. El correccionismo se compromete con una mirada «ortopédica» de la realidad y patologiza la desviación.

Los aportes de esta compleja trayectoria de la teoría de la desviación permiten comprender, en el caso de las personas transexuales: a) cómo estas pueden ser estigmatizadas y excluidas desde los sistemas de control formal, de sus mecanismos y técnicas de vigilancia; b) cómo este proceso de marginalización ocurre a partir de que ellas quiebran las normas habituales, porque no se corresponden con sus necesidades de libertad y reconocimiento de la diversidad; c) cómo la simbolización discriminatoria respecto de las personas transexuales provoca conflicto social.

Dentro de la perspectiva sociológica, para la comprensión de las problemáticas de las personas transexuales, son de vital importancia también *los aportes de Michel Foucault y Pierre Bourdieu*, el primero con sus célebres *Historia de la sexualidad* y *Vigilar y castigar*, y el segundo con la reconocida obra *La dominación masculina*. Estos pensadores aportaron como elementos centrales una determinada concepción acerca de la relación sexualidad-poder-conocimiento.

Michel Foucault. El discurso y la sexualidad

Fue una de las figuras más destacadas del pensamiento del siglo XX. Entre sus obras más relacionadas con el tema de la presente investigación, se encuentran *Vigilar y castigar* e *Historia de la sexualidad*. Es de los sociólogos que ven la sexualidad muy mediatizada por el lenguaje, cuyas estructuras están asociadas al poder. Foucault analiza cómo el lenguaje determina el modo en que la sociedad comprende el sexo: por un lado, debido a la influencia que ejercen sobre las personas los medios de comunicación masiva y su lenguaje sobre el sexo; por otro, el sentido de cómo se construyen nuevas categorías de problemas sexuales y cómo estas desarrollan un lenguaje propio. Para este pensador, buena parte de la vida sexual se vive a través de los discursos.

En su obra *La historia de la sexualidad* aborda interesantes tópicos, como la represión de la sexualidad, y afirma que tal vez hay otra razón que torna tan gratificante para nosotros formular en términos de represión las relaciones del sexo y el poder: lo que podría llamarse el beneficio del locutor (Foucault, 2009, p. 13). Si el sexo está reprimido, es decir, destinado a la prohibición, a la inexistencia y al mutismo, el solo hecho de hablar de este, y de hablar de su represión, posee como un aire de trasgresión deliberada. Quien usa ese lenguaje, hasta cierto punto se coloca fuera del poder, hace tambalearse la ley y anticipa, aunque sea poco, la libertad futura. Se trata, al decir de Foucault, de una incitación a los discursos regulada y polimorfa (Foucault, p. 46), dirigida a asegurar a la población, reproducir la fuerza de trabajo y mantener la forma de las relaciones sociales; en síntesis, montar una sexualidad económicamente útil y políticamente conservadora.

Para este sociólogo, el poder está en todas partes y se ejerce a través de los discursos, las ideologías y los lenguajes. El poder hace uso del discurso para legitimarse y lo mismo ha hecho respecto a la sexualidad. Estas ideas de Foucault resultaron de mucho valor para la comprensión del discurso como vía de discriminación de las personas transexuales, de su segmentación y exclusión, lo que favoreció el orden binario de género y sus correspondientes implicaciones en término de opresión de los cuerpos.

En este sentido, el autor señala algunos rasgos de la relación poder-sexualidad:

- La relación negativa entre poder y sexo cuyos efectos adquieren la forma general del límite y de la carencia.
- La instancia de la regla. El poder sería lo que dicta su ley al sexo.
- El ciclo de lo prohibido: el poder aplica al sexo la ley de la prohibición. Su objetivo: que el sexo renuncie a sí mismo. Su instrumento: la amenaza y el castigo.
- La unidad de dispositivo: todos los modos de dominación, sumisión y sujeción se reducirían en suma al efecto de obediencia, a partir del verticalismo en las relaciones de poder y mando.

Pierre Bourdieu. El capital simbólico y la dominación masculina

La reflexión de este autor acerca de la relación campos/habitus es de especial importancia para comprender los modos en que se produce el proceso de dominación sobre las personas que se apartan de las normas dominantes respecto a la sexualidad y el género.

El campo se entiende como sistema estructurado de fuerzas objetivas con leyes propias, que se impone sobre los objetos y agentes, existiendo en forma de conflictos, en los que se dan posiciones de dominación y de subordinación mediadas por la economía, las relaciones y los conocimientos y habilidades; el habitus, como visiones, sentimientos y actuaciones mediatizados por estructuras sociales. El habitus es una mediación entre las condiciones objetivas y los comportamientos individuales; al decir de Bourdieu, subjetividades socializadas.

Para que exista orden social, según este sociólogo, debe haber una sintonía entre el campo y el habitus. Ello legitima el orden social, lo que depende esencialmente de la voluntad de los agentes de respetar las normas dominantes y las reglas del juego impuestas. Entonces el habitus reproduce, por una parte, las normas, pero, por otra, puede cambiarlas, transformarlas, porque tiene ese carácter innovador. En esta relación dialéctica ocupan un lugar importante el capital simbólico y las relaciones que, al ser parte del orden social, lo favorecen, incluso a través de situaciones injustas, pero que existen hasta tanto los sometidos participen contributivamente en la producción y reproducción de lo que les afecta. La violencia simbólica constituye un mecanismo de reproducción social por excelencia que se mantiene por la necesidad experimentada en las personas de ser reconocidas y de reforzar su identidad social.

Así Bourdieu explica la esencia de la dominación masculina. Analiza algunos mecanismos históricos que identifica como responsables de la deshistorización y la eternización relativas de las estructuras de la división sexual y de los principios de división correspondientes. En este sentido, asocia la dominación masculina a la violencia simbólica, violencia amortiguada e invisible en muchas ocasiones para sus propias víctimas, la cual se ejerce, en su opinión, a través de la comunicación y del conocimiento (desconocimiento).

Este autor considera que la fuerza simbólica es una forma de poder que se ejerce directamente sobre los cuerpos, en la que participan dominadores y dominados. Estos últimos, los dominados, aceptan los límites impuestos, que se expresan en forma de emociones corporales o de pasiones y sentimientos. Según el autor de referencia, estas expresiones no se pueden cambiar con mero esfuerzo de voluntad o de conciencia liberadora. En su producción y reproducción han ejercido una influencia muy eficaz instancias como la familia, la Iglesia, la escuela y otras instituciones del Estado. Luego, modificar este estado de cosas presupone un fuerte trabajo de socialización en dirección contraria en los espacios de socialización por excelencia de la personalidad, de ahí la importancia, para la presente investigación, de identificar cuáles son socialmente los elementos desintegradores de las personas transexuales en sus diferentes ámbitos de socialización. En este sentido, se considera muy necesario el estudio de los aportes de Bourdieu.

También es objeto de influencia en el desarrollo de esta investigación la idea de Bourdieu referida a la significación de la acción política que tenga en cuenta las diferentes estructuras sociales implicadas en la perpetuación de la violencia masculina y sus correspondientes mecanismos, lo que en el caso de este estudio se debe reflejar en la propuesta de estrategia para la integración social de las personas transexuales en Cuba.

Un aspecto interesante que marca el debate sobre la crisis de la política contemporánea, radica en el tratamiento de la relación sexo-poder. Evidentemente, detentar el poder político puede influir en las transformaciones de las jerarquías de género. Sin embargo, el poder político no existe de forma separada del resto de las estructuras sociales, del orden estructural, pues es multidimensional. El poder político es causa y efecto de los sistemas sociales en los que está inscrito, y en muy buena medida está al servicio de la reproducción de los sistemas sociales.

Estos autores analizan la realidad del género como formas de segregación asimétricas en términos de recursos y sostienen que ello ha sido fuente de opresión y discriminación sociales.

Los aportes sociológicos más actuales

En la actualidad, el debate sociológico acerca de la sexualidad es más prolífero tanto a nivel de la producción teórica como al de las políticas públicas, y adquiere matices diferentes e interesantes.

Óscar Guasch y Raquel Osborne comentan que el sexo es una actividad social que tiene normas de cortesía y de etiqueta. A esta actividad se le prescriben y proscriben espacios, tiempos, actores, modos y maneras. Las conductas sexuales son conductas sociales y como tales deben analizarse: obligaciones, normas, reglas, prohibiciones y resultado de confrontaciones y pactos entre grupos con diferentes opiniones y grados de poder en pugna por redefinir los espacios destinados al sexo. Investigar sobre el sexo es, en parte, investigar sobre el conflicto y el control social (Guasch y Osborne, 2003).

Ken Plummer es uno de los autores centrales en el desarrollo internacional de la sociología de la sexualidad. Con su concepto de ciudadanía íntima, da cuenta de la diversidad de discursos públicos acerca de la vida personal y las formas diversas de construir la intimidad. Se introduce en el debate acerca de la ciudadanía, los debates íntimos en las esferas públicas y los conflictos morales, y la necesidad de diálogo en relación con ello. También analiza cómo se globaliza la intimidad y su expresión en el mundo de la sexualidad (Guasch y Osborne, 2003).

Judith Stacey y Timothy J. Biblarz reflexionan acerca de la maternidad-paternidad lesbiana y gay, y analizan los argumentos en pro y en contra de tales procesos a partir de datos empíricos problematizados, sobre los cuales aportan interesantes resultados partiendo de la selección de un conjunto de variables e indicadores, entre los que se destacan la orientación sexual y la identidad de género (Guasch y Osborne, 2003).

José Antonio Nieto aborda la polémica de la relación sujeto-objeto en el vínculo investigador-investigado, desde el prisma de la sexualidad como objeto de estudio, y se detiene en el examen de los derechos sexuales desde una posición de heterosexual queer, como se autoproclama. En ese sentido, no es partidario ni de la normatividad heterosexual respecto al matrimonio ni de los reclamos lésbico-gays en torno al matrimonio y la paternidad-maternidad como norma. En este autor es fácilmente apreciable una posición dialéctica en relación con la disputa acerca del carácter biológico o social de la sexualidad, o sea, su oposición a los denominados esencialismos, reduccionismos y simplificaciones en torno a la sexualidad humana (Guasch y Osborne, 2003).

Este teórico también ofrece un análisis y evolución de lo que se presenta como paradigma emergente del transgénero, que radica en los siguientes elementos:

- La renuncia a la reasignación genital (cirugía de reasignación de sexo), que conduce al reconocimiento de la sustantividad jurídica (en España, la Ley 3/2007; en Cuba, la Resolución del MINSAP de 2008).
- Argumentación en contra del modelo biomédico, que reconoce la transexualidad como trastorno de identidad de género que, por tanto, se psiquiatriza y se etiqueta como «disforia de género», con la consiguiente carga estigmatizadora para la persona trans al considerar y tratar su identidad como un trastorno mental.
- El autor se aleja de esa inversión médica y aboga por la despatologización de la transexualidad y del transgénero.

Entre los invitados por el CENESEX a la VI Jornada Cubana contra la Homofobia en 2013, se encontraba el sociólogo británico Jeffrey Weeks, quien, además de activista gay, es un prestigioso sociólogo e historiador galés, especializado en la temática sexual. Su vasta obra científico-académica reúne desde ensayos breves, relatos y opiniones sobre conceptos claves alrededor de la sexualidad humana hasta voluminosos libros, en los cuales desarrolla su postura epistemológica desde una perspectiva interesante y novedosa. Su enfoque podría situarse entre los denominados constructivistas: la sexualidad debe entenderse como producto de una construcción histórica, social y cultural, visión que plantea que los teóricos e investigadores de la sexualidad están en permanente debate y reajuste sobre las significaciones del vocabulario y las palabras para referirse a lo erótico.

Jeffrey Weeks se ubica entre los teóricos herederos de Foucault, para quienes esa conducta particular que llamamos sexualidad, lejos de ser un fenómeno primordialmente natural, es un producto de fuerzas sociales, una construcción histórica que parte, pues, de la convicción de que en estos terrenos no hay una esencia o una verdad inmutable y de que lo erótico solo adquiere significado en el contexto de culturas específicas. Weeks sostiene que la sexualidad es una unidad ficticia que alguna vez no existió y que en algún momento en el futuro tal vez de nuevo deje de existir. En su tarea de deconstruir esa unidad aparente de lo sexual y sacudir las certezas de la tradición esencialista, el autor recurre a las aportaciones de tendencias teóricas como la historia de las mentalidades, y de movimientos sociales como el feminismo y la liberación gay. Uno de sus objetivos es ayudar a encontrar vías que permitan aceptar la diversidad, trascender las diferencias culturales y elaborar una ética que respete las distintas maneras posibles de existir como seres humanos.

Una autora que hay que considerar de manera especial, en función del objeto de análisis de la presente investigación doctoral, es Esther Núñez, quien valora como sorprendente la aparición de la transexualidad como fenómeno social, en un contexto histórico en el que, según la autora, la superación de las desigualdades entre hombres y mujeres es una tendencia imparable, y con ello la cuestión de género se vuelve un fenómeno obsoleto. La investigadora reflexiona en torno a la discriminación a que son sometidas las personas transexuales, y a los mecanismos de transgresión a que estas acuden respecto a la normatividad de género y lo que se asume socialmente como sus desviaciones.

En torno a las transgresiones transexuales, Esther Núñez plantea que estas están asociadas a los cuestionamientos de los elementos cardinales del género: el estatus de género, la posición de género y la identidad. Un aspecto interesante en las aportaciones de esta socióloga se asocia a la idea de que la transexualidad no representa una nueva cara del conflicto en las normas de género, sino una solución si se le comprende como estrategia en término de respuesta a las crisis de la identidad estructural de género. Sin embargo, expresa que la creación de una posición identitaria específica para los y las transexuales tiene un uso político y desvía la atención de la dimensión política de la conflictividad de las normas de género. El control social construye las subjetividades transexuales. Finalmente expresa la autora que la transexualidad transformada en identidad sirve menos a los transexuales que al resto de la población (Guasch y Osborne, 2003).

Un instrumento teórico-metodológico que emplea Esther Núñez, es el denominado marcador de legitimidad, entendido como los atributos que facilitan la distinción de las personas dentro de determinada categoría social. Estos, según la referenciada socióloga, se adquieren de nacimiento, a través de la socialización, por imposición o bien a través del proceso transexualizador. En el caso de las personas transexuales, de acuerdo con la autora, este proceso implica algunas fases, como el diagnóstico, la prescripción de hormonas, el cambio de rol social, la cirugía de reasignación sexual y el cambio de sexo civil, todo lo cual se encuentra estigmatizado, con cierto nivel de deterioro y con legitimidad limitada.

En el epílogo a la compilación *El género desordenado* (2010), Miquel Missé ofrece interesantes argumentos acerca de la historia y la situación actual del movimiento por la despatologización de la transexualidad. Incursiona en el sistema de contradicciones contenidas en ese movimiento en relación con la lucha por la despatologización, lo que sintetiza al decir:

> Hay muchos sentimientos mezclados en torno a esta cuestión: el orgullo de muchos activistas al saber que se ha conseguido legitimar la experiencia transexual a través de la definición psiquiátrica; pero

> también la frustración al observar que el saldo a pagar es cada vez más alto y que las nuevas generaciones se sienten encerradas en esta definición del trastorno. (Missé y Coll-Planas, 2010, p. 266)

Conclusiones parciales

Como se puede apreciar, se trata de un objeto de conocimiento, cuya problematización en el debate científico partió de importantes aportes en el campo de las ciencias médicas, los debates feministas, la antropología y el enfoque androcéntrico de la sociología.

Los aspectos que dan cuenta de la visión de la sociología clásica en relación con la diferenciación sexual y el género, permiten afirmar que el tratamiento prevaleciente de estos temas por parte de los sociólogos clásicos fue esencialmente androcéntrico, aunque se divide en tres posturas: una androcéntrica conservadora, que reconoce y legitima las pautas culturales tradicionalmente asignadas al hombre y a la mujer; otra androcéntrica moderada, que desnaturaliza y cuestiona las estructuras tradicionales de género y llama la atención sobre la condición social de la mujer y las desigualdades de género; y otra androcéntrica emancipadora, que avanza hasta el cuestionamiento crítico radical y propositivo.

Una valoración integradora de los aportes feministas al asunto del género permitiría asegurar que sus contribuciones teóricas más relevantes se han dirigido en tres direcciones: a) permitió que el discurso feminista se liberase del enfoque biologicista y naturalizante que ataba a las mujeres, desde lo socialmente establecido, a un orden patriarcal enajenante; b) rompió con la dicotomía sexo/género, lo cual facilitó comprender que el primero no es punto de partida del segundo; c) criticó al propio concepto *género*, lo que abrió las puertas al reconocimiento de la diversidad, incorporando en todos los casos un fuerte contenido político, emancipador y dignificador del ser humano.

En general, podría declararse que el abordaje de la sexualidad y el género por la sociología contemporánea identificó un conjunto de aspectos de gran significación que permiten desentrañar el contenido enajenante de la concepción binaria de género y, con ello, los mecanismos de desintegración social de las personas transexuales: los modos a través de los cuales la sociedad convierte a las personas transexuales en desviadas; los mecanismos que se instituyen para derivar lo que denominan anomalías respecto a estas personas, en objeto de intervenciones sociales como los diagnósticos, la hormonización, la asignación de roles estereotipados y las cirugías de reasignación sexual que estigmatizan, segmentan y discriminan; el papel del discurso y el lenguaje sobre el sexo como vías de control y reproducción de los intereses dominantes y opresores; el alcance del capital simbólico en la transformación del orden de cosas establecido respecto a la transexualidad, especialmente del proceso de dominación; y las contradicciones alrededor del movimiento por la despatologización de la transexualidad, entre otros.

La integración social como enfoque para el estudio de la transexualidad

Surgimiento y desarrollo de la categoría *integración social*

En su surgimiento y desarrollo se destacan algunos clásicos de la sociología como H. Spencer, E. Durkheim, T. Parsons y R. Merton.

Para comprender la teoría del estructural funcionalismo es necesario reconocer el conflicto social como categoría contrapuesta que incluye la teoría sociológica para el análisis de este. La primera considera que las normas y los valores comunes son fundamentales para la sociedad, de forma que se presupone un determinado orden. En cambio, la segunda se refiere a que el orden social se logra a partir de la manipulación y el control de unos grupos dominantes sobre otros (Ritzer, 2003). Reconocer las diferencias no dista del análisis de las similitudes y la brecha estrecha que incurre sobre ambas, cuando el uno puede llevar consigo a la otra.

En Spencer esta categoría se comprende bajo el prisma evolutivo: para él la sociedad transita de formas primitivas, con una estructura de funciones indiferenciadas en cada individuo, a formas avanzadas, en las que se opera una clara diferenciación de las actividades individuales y se produce una integración: surgen el gobierno, la industria, la religión,… Las instituciones aparecen aquí como un indicador de integración social (Domínguez, 2010a, 2010b).

Este autor explica el proceso mediante el cual la sociedad evoluciona de un estado rígido a otro flexible, dando lugar cada vez más a la libertad y la cooperación, y significa el papel de la sociedad como conjunto de elementos que garanticen el equilibrio consigo misma y con el ambiente.

La integración social para Durkheim (1967) se produce sobre la base de valores, símbolos y prácticas comunes, o sea, sobre la base de una conciencia colectiva, que en momentos de efervescencia colectiva une a sus miembros y da cohesión a la sociedad. La estabilidad social para este autor se logra a partir de un consenso entre los integrantes de la misma, quienes deben aceptar una naturaleza definida que se impone, lo cual indica que estas maneras colectivas de obrar y pensar tienen una realidad externa y coercitiva al individuo. De ahí que en su teoría el sujeto deviene ente pasivo y no halla cabida a la idea de conflicto; ello constituye un sesgo, al limitar la posibilidad de modificar la realidad por medio de la acción.

Es necesario aclarar que para este autor la sociedad no solo actúa como órgano restrictivo, sino también como mecanismo de liberación, en el sentido de que otorga al sujeto la posibilidad de trazar un plan, de dar un objetivo a su vida que tome en cuenta la realidad social que lo circunda. Durkheim va conformando así una concepción de integración social que comprende dos elementos esenciales: la manera en que los individuos se vinculan a los valores y normas de la colectividad, y la manera en que se regulan por la sociedad (Domínguez, 2010a, 2010b).

Talcott Parsons se interesa, en su análisis del sistema social, por sus componentes estructurales (las colectividades, las normas, los valores,...), por lo cual se convierte en el principal exponente de la categoría de integración de la corriente estructural-funcionalista. También define cuatro imperativos funcionales que consideraba necesario para todos los sistemas: (A) adaptación, (G) capacidad para alcanzar metas, (I) integración y (L) latencia o mantenimiento de patrones. Establece así que para que un sistema pueda sobrevivir debe cumplir estas cuatro funciones, las de su famoso esquema (AGIL) (Parsons, 1951).

Para este autor, el sistema social se entiende, por un lado, como el resultado de la interacción de una pluralidad de actores individuales que desempeñan sus papeles o roles dentro de una situación y, por otro, como parte de una estructura más amplia (Parsons, 1951). Cuando existe interacción social, los signos y los símbolos adquieren significados comunes, de ahí que Parsons retome los procesos de internalización y socialización para su definición de integración (Parsons, 1951).

La estabilidad de este sistema depende de cómo se integre la motivación de los actores con los criterios normativos culturales que constituyen el sistema de acción, es decir: el sistema de la cultura y la personalidad (Parsons, 1951). Desde esta perspectiva, la integración se produce cuando los valores son institucionalizados y la conformidad de los actores supone un cumplimiento en relación con los intereses del sistema social, lo cual deviene orientaciones de valor luego de internalizarlas y aprehenderlas.

Sin embargo, su discípulo Robert Merton desarrolla su teoría sobre la idea de disfunción. Manifiesta que el funcionalismo estructural no debía ocuparse solo de las funciones positivas, sino también de las consecuencias negativas (disfunciones). En su esfuerzo por clarificar señaló que una estructura podía ser disfuncional para el sistema y no obstante seguir existiendo. Refiere, además, que no todas las estructuras eran indispensables para el correcto funcionamiento del sistema social y pueden eliminarse (Merton, 1973).

Dentro de los principales aportes se encuentra el análisis que realiza de la relación entre cultura, estructura y anomia. La cultura es el cuerpo organizado de valores normativos que gobiernan la conducta que es común a los individuos de determinada sociedad o grupo. En tanto, la estructura es el cuerpo organizado de relaciones sociales que mantiene entre sí diversamente los individuos de la sociedad o grupo (Merton, 1973). Para él, la integración se da a partir de la unidad entre los objetivos culturales y las prácticas institucionalizadas por la estructura social, sin eximirlas de un posible cambio, lo cual constituye un aporte que supera la teoría de Parsons.

Según Merton, la clave del orden o desorden estaba en que ambas estructuras (social y cultural) engendraban una presión hacia la conducta socialmente divergente sobre individuos insertos en posiciones distintas. La llamada tirantez que puede provocar tal conducta divergente e incluso generar la anomia, es resultado del distanciamiento que se produce entre ambas estructuras, cuando las aspiraciones culturales prescritas (jerarquía de valores, sentimientos, aspiraciones, objetivos, propósitos) no se encuentran en relación con los modos admisibles de alcanzar los objetivos (Rivero, 2000).

Como se ha podido constatar, esta categoría posee una vasta trayectoria dentro de la sociología a partir de disímiles autores. En tanto, el estructural funcionalismo fue una corriente de pensamiento que despertó gran interés durante la década de los treinta hasta principios de la de los sesenta como resultado de los procesos de cambio originados en los Estados Unidos, en reacción al enfoque histórico evolucionista de las ideas especulativas de los antropólogos.

Sus exponentes, con algunas excepciones, hacen referencias a estructuras estáticas; en sus obras no conciben los procesos de cambio, ya que centran su atención en las relaciones armónicas. Al tomar como punto de partida esta idea expuesta, es preciso señalar que este paradigma no posee una concepción creativa del actor, sino que lo sitúa como un ente pasivo en medio de los procesos.

Devenido de ello, los funcionalistas plantean la integración a partir de valores societales que están instituidos. Las ideas nuevas que puedan surgir, no se encuentran contenidas en estos, lo cual resulta equívoco, ya que las ideas renovadoras pueden ser fuente de desarrollo y dinamismo. Tomarlos solo en cuenta genera desconocer la influencia que poseen las ideas instituyentes sobre los individuos y sus acciones. La idea de conflicto no se retoma; absolutizar las funciones de la integración social como las correspondientes, desmitifican las posibilidades de cambio que pueden generarse en una sociedad, ya que no lo reconoce como proceso de autodesarrollo.

Además, sus ideas sobre la sociedad se muestran de forma abstracta (Mills, 1974), lo cual impide la definición clara y precisa de sus categorías, provocando ambigüedad en el análisis de su objeto de estudio. Ello propicia que varios autores no logren diferenciar un elemento de otro, y este quede trunco en la medida que no posee profundidad alguna para su comprensión. Asimismo, dificulta retomar dichas variables para el estudio actual de investigaciones que comprendan estas dimensiones.

Al enfocar el papel determinante de las pautas culturales y específicamente de las orientaciones de valor para la conducta del hombre y la interacción social en general, el estructural-funcionalismo hace referencia solo a aquella parte del conjunto de ideas circulantes en la sociedad como algo instituido, que es un hecho ya dado, y no tiene en cuenta lo instituyente: aquellas ideas que surgen y se expanden portando nociones nuevas y hasta diferentes de lo contenido en las ideas instituidas, y que son renovadoras y, por lo tanto, portadoras de un cuestionamiento permanente de lo establecido. Estas también forman parte del conjunto de ideas que mantienen unida subjetivamente a una sociedad.

Al reconocer esto último, estas concepciones esquivan el análisis de otros factores causales de la interacción social, fundamentalmente los económicos y políticos. De este método se desprende que sus consideraciones queden en el plano de la legitimación del orden establecido. En esto se basa en esencia la crítica del marxismo a estas ideas que identifican cultura con sociedad.

Retomar su esquema como una de las posibles variantes para adentrarse en el conocimiento de un objeto determinado desde el punto de vista dialéctico-materialista, presupone revalorizar el lugar y papel que el funcionalismo le concede a las ideas, inclinaciones, hábitos y costumbres de las personas, con relación a ellas mismas y a la base material de la sociedad. Presupone además plantearse no solo el problema de orden y el equilibrio, sino también el del conflicto y el cambio.

Mientras que para el estructural-funcionalismo la integración no solo es posible sino consustancial al desarrollo social y aparece como un proceso natural (Domínguez, 2010a, 2010b), para los teóricos del conflicto tal integración es inexistente o solo es posible en una sociedad diferente, y es necesario el conflicto y el cambio social para llegar a una sociedad integrada.

El enfoque del conflicto, parte del criterio de que la realidad social contemporánea es esencialmente conflictiva y que se caracteriza por la desigualdad social. Lo que define el orden social no es el consenso, sino las tensiones y contradicciones entre los diferentes elementos que componen el sistema. Los representantes de este paradigma no niegan la existencia del orden y el equilibrio —aunque lo asocian a sociedades no existentes en esa época—, sino plantean que estos elementos están asentados sobre contradicciones a partir de las cuales aparece y toma su curso futuro dicho orden. La solución de esas contradicciones se aprecia como un proceso dialéctico, a través del cual se genera un nuevo estado de cosas que anula y supera al anterior.

Los elementos referidos antes permiten afirmar que, a pesar de la pública polémica entre estos paradigmas, la integración social como constructo no necesariamente es exclusiva de ninguno de los dos, pues por su naturaleza epistemológica puede dar cuenta a la vez de procesos de adaptación y de transformación social. Uno de los aportes fundamentales en este sentido realizados por la doctora María Isabel Domínguez es revelar que esa categoría también está en el marxismo, porque integrar implica también transformar.

Tanto el enfoque estructural-funcionalista sobre la integración social como el del conflicto han tenido desarrollos que han enriquecido las posiciones centrales de los máximos exponentes de estos paradigmas. En nuestros días los elementos que separan a estas teorías, que las hacen contrapuestas, son menos rígidos. Se avanza en la identificación de puntos de encuentro entre ambas, lo cual ha hecho que la categoría *integración social* continúe manteniendo actualidad en los debates sociológicos.

Una posición que se acerca a la que comparte la autora de esta investigación, es la de A. Mattelart y M. A. Garreton (1965) cuando expresan:

> Una sociedad estará más o menos integrada según sus miembros participen de sus bienes efectivamente o tengan al menos oportunidades de hacerlo. No existirá tal integración en la medida que ciertos sectores no tengan dicha oportunidad … una nación estará más o menos integrada, según la vida nacional en sus distintos aspectos sea la resultante de las decisiones en todos los niveles de todos sus miembros. No existirá tal integración en la medida que —en los distintos niveles de la vida nacional— la gestación de las decisiones deje al margen a sectores importantes. (p. 19)

Aun cuando de la teoría marxista se desprenden importantes postulados del paradigma del conflicto, presenta una visión que integra los núcleos esenciales de las teorías referidas en disputa:

> No niega el equilibrio, sino su carácter absoluto y considera las relaciones de producción como el elemento esencial que determina el resto de las relaciones sociales. En ella, la integración recorre los niveles societal, grupal e individual. (Domínguez, 2010, p. 155)

Para el marxismo, la dominación de una clase sobre otra, es, en condiciones de una sociedad dividida en clases antagónicas, lo que mantiene unida a la sociedad.

La relación transexualidad-sociedad: un problema aún sin solución

En las circunstancias actuales, con el incremento de las crisis capitalistas, se han profundizado las desigualdades sociales, la pobreza y con estas los procesos de desintegración social. Son evidentes los efectos desintegradores del capitalismo neoliberal en todos los ámbitos de la vida social que atraviesan la cotidianeidad de la inmensa mayoría de los pobladores del planeta. Un aspecto en que se expresan esas tendencias desintegradoras, se refiere a los procesos de discriminación por identidad de género.[1] Las realidades de las que da cuenta el referido término, han existido siempre en las diferentes culturas; sin embargo, su estudio científico se desarrolla principalmente en las ciencias biomédicas desde finales del siglo XIX, con una marcada connotación patologizadora y estigmatizante. Para Miquel Missé, el modelo patologizador de la transexualidad es autoritario y excluyente, ya que se impone excluyendo a otras experiencias; por tanto, niega otras identidades (Missé y Coll-Planas, 2010).

El modelo patologizador predominante responde a una lógica de control social del Estado, que utiliza como principales mecanismos la medicina y el derecho. Sobre esta base se han impuesto límites rígidos para la definición de las identidades. Al respecto, Gloria Careaga señala que de esta manera la identidad, «conformada en el marco de las relaciones de poder», es «reflejo de necesidad

[1] La Asociación Mundial de Profesionales de la Salud Transgénero (WPATH, por sus siglas en inglés) define la identidad de género como «el sentimiento intrínseco de una persona de ser alguien masculino (niño u hombre), femenino (niña o mujer) o de un género alternativo (por ejemplo, niñoniña, niñaniño, transgénero, genderqueer, eunuco)» (Coleman, y otros, 2012, p. 96).

y posibilidad, de imposición y decisión», y «cambian a través del tiempo, bajo el impacto de cambios económicos, sociales y culturales» (Careaga, 2012, p. 15).

La visión marxista da suficiente luz en el intento de buscar respuestas a las diferentes interrogantes que pueden surgir en relación con la cuestión transexual, al ofrecer una explicación de los orígenes de las relaciones sociales en las que el ser humano ha estado obligado a vivir, y las vías para transformarlas, desde una aspiración de emancipación plena. En la lucha por el respeto a la diversidad de identidades de género a nivel internacional, a pesar de la lógica funcional opresora del capital, se evidencian pasos de avances en los diferentes ámbitos del desarrollo social. De ello dan fe los cambios que se pueden observar en legislaciones y políticas públicas de algunos Estados.[2] Sin embargo, el trecho por recorrer es grande. Por un lado, la cultura instituida pretende ser inamovible y utiliza todos los recursos posibles para lograrlo; por otro, las transformaciones se limitan en su inmensa mayoría al tratamiento fragmentado de esta problemática, diversa y compleja.

El mayor problema de la relación transexualidad-sociedad está en el sufrimiento que provocan los procesos de exclusión y discriminación sociales en las personas que se apartan de las normas establecidas por el binarismo de género, los que les desacreditan como sujetos sociales. La comunidad científica dispone actualmente de numerosos estudios que tratan esta problemática, así como de asociaciones y publicaciones en las que se aprecia la evolución de las diferentes perspectivas de análisis, desde los que la transexualidad se visibiliza como objeto de estudio científico. Algunos de estos aportes pueden encontrarse en Butler (2006a, 2006b), Gooren (2003), Guash y Osborne (2003), Lamas (2012), Missé y Coll-Planas (2010), Nieto (2008), Núñez (2003), Plummer (2003), Shelley (2008),

[2] En tal sentido, cabe citar la legislación argentina sobre el derecho a la identidad de género (Ley 26.743, sancionada el 9 de mayo de 2012, promulgada el 23 de mayo de 2012 y publicada el 25 de mayo del propio año) y la norma española que regula los requisitos necesarios para acceder al cambio de la inscripción relativa al sexo y al nombre de una persona en el Registro Civil, cuando dicha inscripción no se corresponde con su verdadera identidad de género (15 de marzo de 2007).

Weeks (1993), Whittle, Turner y Al-Alami (2007) y Winter *et al.* (2009), entre otros.

En la literatura científica internacional se pueden encontrar evidencias múltiples de los procesos discriminatorios y socialmente desintegradores respecto a las personas transexuales. El informe sobre personas transexuales y transgénero[3] presentado ante la Comisión de Derechos Humanos y Solicitudes Ciudadanas del Parlamento Vasco el 22 de diciembre de 2009 y elaborado a partir de la investigación titulada *La situación de las personas transgénero y transexuales en Euskadi. Informe extraordinario de la institución del Ararteko al Parlamento Vasco* (ARARTEKO, 2009), contiene valoraciones acerca de los diferentes contextos de vulnerabilidad de los derechos de estas personas. Algunos de estos aspectos se sintetizan a continuación:

- Para las personas consultadas, especialmente en la infancia y la adolescencia, pero también en otras edades, acudir a clases supone sufrir acoso, agresiones físicas, exclusión y soledad ante actitudes mayoritariamente pasivas por parte del profesorado. Según ellas, el rechazo es fomentado, en algunas ocasiones, por las madres y padres del resto de los compañeros y compañeras, y además es desconocido por las familias de las víctimas.
- Acudir al médico supone encontrarse con el desconocimiento de algunas y algunos profesionales, a pesar de los protocolos existentes, con su indiferencia traducida en esperas innecesarias para recibir tratamientos o con la negativa a reflejar en las listas el nombre elegido por la persona cuando los cambios legales de identidad no se han producido.

[3] Según Gerard Coll-Planas, «*Transgénero*, en el contexto latino, sería aquella persona que cuestiona la necesidad de escoger entre los roles masculino y femenino y que no considera necesario establecer una correspondencia entre sexo y género mediante la transformación corporal. Lo definitorio de esa categoría es la concepción de la transexualidad, al margen de si la persona ha efectuado o no alguna transformación a nivel hormonal o quirúrgico. En el contexto anglosajón, en cambio, *transgénero* se usa como término paraguas» (Missé y Coll-Planas, 2010, p. 23).

- Buscar o mantener un empleo es una de las tareas más complejas. A pesar de las evidentes dificultades, la imagen del colectivo, vinculada a actividades marginales como la prostitución, no se corresponde con la realidad mayoritaria. Las mayores dificultades las tienen las personas que aún no han logrado culminar los cambios legales. Aunque también hay quienes sufren rechazo en sus puestos de trabajo, la realidad muestra, cada vez más, una mayor integración laboral en empleos normalizados y compartidos por el resto de la sociedad.
- Otras tareas de la vida cotidiana, como acudir a vestuarios públicos, utilizar transporte que requiera enseñar el DNI o hacer gestiones bancarias, son ejemplos de momentos de dificultad cuando los cambios legales no han llegado o cuando la imagen ofrecida no coincide o transgrede la socialmente esperada.
- Tener una pareja es otra de las dificultades con la que se encuentran estas personas, de manera especial si la persona es una mujer transexual heterosexual, porque, a tenor de las consultas realizadas, los hombres no transexuales y heterosexuales parecen tener más dificultades para aceptar a una pareja de estas características. Cuando la pareja se ha creado antes de la visibilización y del cambio de identidad, según los casos conocidos, es habitual que termine por romperse. Formar una familia y tener hijos e hijas son opciones contempladas y elegidas cada vez más por las personas transexuales, sobre todo entre las generaciones más jóvenes.
- En cuanto a su orientación sexual, las personas transgénero y transexuales siguen los mismos patrones que el resto de la sociedad: heterosexuales, homosexuales y bisexuales. A pesar de ello, existe todavía una importante confusión entre identidad de género y orientación sexual, considerándose erróneamente que la transexualidad lleva aparejada la homosexualidad.
- Para algunas personas transgénero, y sobre todo para las personas transexuales, resulta esencial que su identidad quede reflejada *de facto* en la imagen que proyectan socialmente, porque la sociedad, en su proceso de alosexación o sexación

del otro, devuelve lo que ve, y este reconocimiento social es una importante fuente de reconocimiento social para ellas.

- Todas estas dificultades a lo largo de la vida, se traducen en muchos momentos de soledad y de sufrimiento callado y, en palabras de las propias personas transgénero y transexuales, de sufrimiento incomprendido por quienes no entendían lo difícil que resulta esta situación.
- Este sufrimiento y desesperación es tal que resulta frecuente la autoagresión (en muchas ocasiones en los genitales) y el intento de suicidio a veces reiteradamente fracasado, pero, en otros momentos, tristemente conseguido. En ocasiones se producen intentos de suicidios solapados al realizar actividades de elevado riesgo.
- En otras oportunidades la persona se ve abocada a emigrar por diferentes motivos, principalmente por presión social o familiar, con carácter temporal o permanente para empezar una nueva vida acorde con la verdadera identidad.

Los elementos referidos antes dejan ver la necesidad de políticas y servicios públicos que, de manera integral e integradora, den respuestas a las necesidades de estas personas, pero también de la sociedad: respecto a las personas, porque es evidente que estos grupos marginados y excluidos históricamente han estado en posiciones de desventaja social y requieren de apoyo para su desarrollo; en el caso de la sociedad, porque esta, para vivir de forma cohesionada y desarrollarse, necesita de la participación cada vez más consciente de las personas transexuales como sujetos de derecho.

El sentido relacional sociedad-transexualidad permite la reflexión acerca de la correspondencia Estado-transexualidad, pues no es menos cierto que le concierne al Estado y a otros organismos e instituciones sociales intervenir en los espacios de este grupo, estimulando su participación social y ofreciendo soluciones de apoyo por medio de políticas sociales, mecanismos legales y jurídicos, instituciones y prácticas concretas.

La problemática de la transexualidad, investigada de manera relacional con el Estado, se adentra en las influencias de las políticas en el desarrollo de las capacidades sociales y culturalmente determinadas para las personas en toda su diversidad, y de igual modo evalúa las reacciones de los diferentes grupos sociales, según sus propias dinámicas. Se refiere a la responsabilidad que el Estado tiene de garantizar el bienestar básico de la población a partir de la premisa de la igualdad de oportunidades en su condición de ciudadanas y ciudadanos.

En este sentido, como nexo entre los cambios que se producen a nivel macro y microeconómico, es importante que, con respecto al Estado, se piense en las personas transexuales como sujetos de derecho, que participan y se benefician con las políticas sociales. Desde la perspectiva estatal, estos grupos deben tratarse sobre la base de iniciativas vinculadas con la promoción de la equidad, entendida como igualdad de oportunidades, con la garantía de los derechos humanos básicos y con posibilidades de integración social.

No solo el Estado y las políticas sociales establecidas producen impactos en las personas transexuales, pues de igual manera los comportamientos de estos individuos poseen efectos sociales sobre ellos mismos y sobre la sociedad. En relación con esta idea, Marta Lamas destaca:

> Por la producción social de subjetividad cada sujeto se asume y se reconoce a sí mismo, se identifica, y es reconocido e identificado por los demás, a partir de ciertas pautas culturales. Pero este proceso tiene un punto de fuga en el imaginario cultural de cada sujeto… Y aunque ninguna persona es la autora absoluta de sí misma, tampoco puede ser la obra de otra. Por eso es que, no obstante el peso brutal de los *habitus* y de la reproducción social, la fabricación social de sujetos no funciona solamente como producción de máquinas humanas al servicio de la ideología capitalista, sino que dicha fabricación es subvertida por la pulsión y el deseo provenientes del inconsciente y la imaginación. Así emergen posiciones subjetivas heréticas, con sus consiguientes formas de comportamiento subversivo. Y como las formas de disciplinamiento social, de «normalización», de los sujetos se corresponden con las formaciones sociales de la época, las personas «indisciplinadas» y «anormales» —los herejes— han tenido que desarrollar estrategias vitales para sobrevivir en sociedad. Tal vez podríamos interpretar la transexualidad como una de esas estrategias. (Lamas, 2012, p. 266)

Las políticas son resignificadas por los actores sociales y no solo por sus decisores y ejecutores. Frente a la diversidad y complejidad en la que se van construyendo los vínculos sociales, las propuestas de nuevos programas y acciones tienen que ser igualmente diversas y complejas, incorporar diagnósticos actualizados sobre sus situaciones y contar para la toma de decisiones de igual forma con su protagonismo.

De esta manera, el Estado no debe perder de vista en su proyección y prospectiva que las personas transexuales forman parte de diferentes grupos que: a) son sistemas sociales vivos; b) pierden o adquieren funciones; c) se estrechan o alargan, según el contexto en que viven y se desarrollan; d) como realidad vital, son capaces de asumir nuevas formas y de regenerarse continuamente a partir de sus contradicciones. El componente ético de las instituciones sociales es fundamental para que la relación con estas personas sea dialógica, en un proceso de aprendizajes y trasformaciones mutuas.

Son conocidas las implicaciones negativas que a lo largo de la historia ha tenido la imposición del binarismo de género desde las estructuras de poder, y su reflejo en las luchas emancipadoras de movimientos sociales, que han ido ganando en organización y apoyo. Entre las características más notables del imperativo tradicional asociado a esta norma, se encuentran la injusticia, la limitada participación y la insuficiente cohesión social, que resultan funcionales a la naturaleza opresora de la sociedad capitalista. A estas se han antepuesto significaciones más humanas acerca de las identidades de género, con el advenimiento de nuevas *formaciones económico-sociales*, aunque no sin resistencias y en franca lucha de ideas.

La sociedad burguesa, en su versión neoliberal, tiende también a concebir la vida de relaciones de género de forma homogénea, jerarquizando el consumo de la ideología patriarcal como modo esencial de la cotidianidad de la vida social, con la intencionalidad manifiesta de perpetuarse como sistema social cuya esencia es la opresión. Pero de hecho esta intencionalidad es un imposible por la realidad de la singularización. La nueva sociedad a que se aspira, integrada por personas comprometidas con su tiempo, por el contrario se realizará plenamente en la medida en que logre ser heterogénea y se pueda expresar la objetivación del ser humano como ser social universal.

Las pautas culturales establecidas históricamente en relación con la identidad de género y sus correspondientes modos de implementación, desde una lógica de dominación, funcionan como elementos que organizan los roles de género y la percepción de estos. En este proceso, cuando los roles de género se asignan y asumen, constituyen una estructura que reproduce estereotipos, etiquetas, prejuicios y rechazos respecto a las identidades de género que contradigan el modelo binario. En el caso específico de las personas transexuales, se produce, por una parte, una desviación respecto a la norma dominante de género, porque desarrollan la identidad que no se corresponde con su sexo ni con las expectativas de género socialmente establecidas; y por otra, el sufrimiento que les provoca el rechazo y sus conflictos con la sociedad, les lleva a acentuar los rasgos más estereotipados de los roles de género.[4] Esta contradicción es sintetizada por Esther Núñez cuando señala: «El modelo "transexualidad" define las transgresiones de las normas de género como consecuencia de particularidades biológicas o psicológicas de los sujetos transgresores, y no como actos volitivos de resistencia a las normas» (Guasch y Osborne, 2003, p. 229). Resulta fundamental que la sociedad identifique y supere esta contradicción.

La realidad ha trascendido esa dicotomía contenida en las relaciones de género, y emergen, cada vez con mayor visibilidad, nuevas expresiones de identidad de género y de grupos sociales portadores de las mismas que cuestionan las estructuras tradicionales e introducen aportes acerca de los significados de las masculinidades y las feminidades. El término *diversidad de identidades de género* es relativo y proclive al cambio y a la inclusión de nuevas identidades en relación con el contexto sociocultural. Los estudios de las experiencias transexuales han realizado aportes sustanciales al cuestionamiento de la concepción binaria de género. Algunos de estos aportes se pueden encontrar en Butler (2006a, 2006b), Esteban (2009), Garaizábal (2010), Guasch y Osborne (2003), Lamas (2012), Missé y Coll-Planas (2010), Nieto (2008), Núñez (2003), Pérez

4 «La identidad y rol de género son los dos lados de una moneda y por tanto inseparables. La identidad de género es la experiencia privada del rol de género, y el rol de género es la manifestación pública de la identidad de género» (Gooren, 2003, p. 47).

(2010), Plummer (2003), Shelley (2008), Weeks (1993) y Winter *et al.* (2009), entre otros.

Constituye una necesidad la aproximación a este tema con enfoque crítico de los valores que tradicionalmente han normalizado esta expresión de nuestro ser total; por tanto, presupone la consecuente búsqueda de alternativas y opciones dentro de un marco ético coherente, con profundas raíces en el humanismo, reconociendo por ende al individuo, en toda su diversidad y con toda la complejidad de sus problemas vitales, como centro de la propuesta.

Para lograr este propósito, deben establecerse los mecanismos y vías que permitan superar los elementos de dominación expresados en las prácticas históricas que jerarquizan a las personas o sus actos, y que las distinguen como superiores e inferiores, o sea, las discriminan, reproduciendo los sistemas de castas y estatus sociales que caracterizan a las sociedades explotadoras. Estas prácticas están presentes en lo que se ha dado en llamar homofobia, lesbofobia, bifobia, transfobia, travestifobia y otras formas de discriminación específicas, vinculadas a las orientaciones sexuales o preferencias sexuales e identidades de género. La transfobia constituye un elemento central en los procesos discriminatorios y consiste en sentimientos negativos, actitudes y acciones dirigidas en contra de prácticas transexuales o personas transexuales.

Un estudio analítico realizado en siete países asiáticos sobre los factores que influyen en los prejuicios acerca de las personas transexuales (Winter *et al.*, 2009), afirma que este tipo de prejuicios se asocia con el heterosexismo, el autoritarismo, los puntos de vista esencialistas del sexo, el tipo de género, la intolerancia por la inconformidad de género, las actitudes hacia los homosexuales, el autoritarismo de derecha, el fundamentalismo religioso y el machismo hostil.

Parece existir una relación directa entre los prejuicios hacia las personas transexuales y los procesos de discriminación y exclusión a que están sometidas:

> ... mientras que la noción de discriminar consiste en establecer jerarquías y determinar la superioridad o inferioridad de ciertos grupos, la noción de exclusión pretende mostrar la incompatibilidad entre los diferentes elementos. Así, las prácticas de exclusión

> suprimen o tratan de eliminar lo que es incompatible y que se vive como amenaza a la existencia presente y futura. (Flores, 2007, p. 25)

El estudio mencionado anteriormente realizado por Sam Winter y su equipo en siete países asiáticos, aporta información en este sentido. A partir de sus resultados, se demuestra que hay dos principales prejuicios en la base de los procesos de exclusión de las mujeres trans: a) las mujeres trans no deben tratarse como mujeres porque no lo son y no se les deben conferir esos derechos, lo que implica excluirlas de su participación total en la sociedad; b) la creencia de que las mujeres trans son «enfermas mentales» y hay que limitarse en el intercambio con ellas, lo que constituye una evidencia de su rechazo y exclusión.

A partir de estos resultados, formula la siguiente hipótesis:

> Si la patologización psiquiátrica de la variación de identidad de género da lugar al prejuicio trans o lo mantiene al ofrecer una vía para que aquellos ya prejuiciados racionalicen ese prejuicio, entonces la consecuencia es que la patologización de la variación de identidad de género puede facilitar la exclusión social y económica. A su vez esa exclusión puede (irónicamente) impedir el bienestar mental y físico de las personas patologizadas, y contribuir a muchas más patologías esenciales de aislamiento social, ansiedad social, depresión, indefensión, desesperanza, riesgos y autodaño. (Winter *et al.*, 2009, p. 113)

El estudio de referencia sugiere poner fin a la patologización psiquiátrica de la variación de identidad de género por su posible influencia en los prejuicios acerca de estas personas.

La integración social: una alternativa de solución a la problemática de la transexualidad en Cuba

Para alcanzar estadios superiores de desarrollo social, en el sentido de desarrollo humano liberador, que se mueve en la contradicción alienación-desalienación y que permite cuestionar los fundamentos sociales y políticos enraizados en la cultura de las clasificaciones vinculadas a los mecanismos de estigmatización que generan intolerancia y opresión, no basta con la dignificación de las diferencias de identidad de género. Es necesario lograr la integración social de ese tipo de diversidad.

La categoría *integración social*, en el contexto histórico de crisis, es un instrumento pertinente para el estudio de situaciones de exclusión social y para el uso de los resultados de dichos estudios como base para el diseño de políticas y estrategias de inclusión, al permitir distinguir barreras y canales de integración que pueden cerrarse y habilitarse desde las políticas según sea el caso. El recorrido histórico de la misma ha sido amplio y polémico. Se pueden visualizar claramente dos posiciones diferentes y contrapuestas. Por una parte, la correspondiente a la corriente teórica del estructural-funcionalismo y, por otra, a la denominada del conflicto, dentro de la que se puede inscribir el marxismo. Esta particularidad le ha conferido un lugar importante dentro de la teoría sociológica. Sobre su surgimiento y desarrollo, se profundiza en «Surgimiento y desarrollo de la categoría *integración social*».

En Cuba los estudios acerca de la integración social han sido liderados por María Isabel Domínguez, quien define este término como «la compleja red de relaciones que se entretejen entre tres elementos básicos de su existencia: justicia social, participación y cohesión nacional» (Domínguez, 2008, p. 81).

La doctora Domínguez considera también que la integración social es el proceso de participación efectiva de todos los grupos e individuos en el funcionamiento de la vida social. Se trata de la aceptación de la diversidad y, por supuesto, presupone como un elemento clave la oposición a toda discriminación, exclusión y marginación. Pero el elemento más importante de esta visión es el énfasis en que esta integración social requiere, como condición, la creación de estructuras de inserción social que permitan la satisfacción de las necesidades básicas de las mayorías, y el fortalecimiento de los nexos colectivos y los compromisos hacia el conjunto, sin lo cual es prácticamente imposible lograr una integración en la esfera de los valores (Domínguez *et al.*, 2008).

La doctora Domínguez complementa el análisis de los procesos de integración social con la visión de las principales tendencias desintegradoras, las cuales se entenderán como aquellas que excluyen a los individuos o los grupos del acceso a los bienes y servicios que brinda la sociedad y de la participación en la vida social en sentido amplio, en particular en el estudio, el trabajo y la esfera sociopolítica, así como aquellas que los distancian de las metas colectivas aprobadas por el consenso de la nación (si es que se trata de naciones en las que se ha expresado el consenso de la mayoría) (Domínguez *et al.*, 2008).

El otro elemento que toma en consideración Domínguez, es la percepción acerca de esas posibilidades y resultados, pues no basta que existan, sino que resulta esencial cómo se perciben. De ello dependerá, en gran medida, el nivel que alcance la cohesión social como uno de sus componentes básicos.

La autora de referencia considera que no hay posibilidades amplias y duraderas para la integración social mientras la sociedad reproduzca desigualdades socioeconómicas (y otras por concepto de raza, etnia, género, generaciones o ubicación territorial) y no se construya una comunidad de valores que se apoye en la diversidad de los grupos y la respete.

La valoración de los aportes de la doctora María Isabel Domínguez al estudio de los procesos de integración social ha sugerido algunas reflexiones a la autora de la presente investigación:

1. Podría asumirse como pertinente la incorporación de la concepción de lo comunitario como cualidad, y específicamente de la participación como uno de sus epistemas (desarrollada en el Centro de Estudios Comunitarios de la Universidad Central Marta Abreu de Las Villas), a los núcleos conceptuales de la teoría de la integración social. Para los investigadores de esta institución la comunidad constituye un grupo social en el que la participación y la cooperación de sus miembros posibilitan la elección consciente de proyectos de transformación, dirigidos a la solución gradual y progresiva de las contradicciones potenciadoras de su autodesarrollo (Alonso *et al.*, 2004, p. 13).
   La participación efectiva, desde este paradigma, se define como la práctica de autogestión de sujetos individuales y colectivos, caracterizada por la colaboración social voluntaria y un sistema de acciones definidas a desarrollar en un espacio y tiempo concretos a partir de objetivos que responden a necesidades y que son viables. Las condiciones esenciales para la participación son: acceso a la información diversa, espacios para reflexionar y la decisión como acto supremo de la participación.
   Participar implica un acto que dé respuesta a demanda(s), considere alternativas de solución y se exprese en decisiones concretas, las cuales se ejecutan y controlan.
   Esta cualidad tiene diversos grados de manifestación en los grupos sociales: puede estar en estado latente, tener un nivel de desarrollo que exprese una respuesta inmadura frente a las condiciones de opresión, o desplegarse potenciando profundos procesos de emancipación y dignificación personal-social.
2. La justicia social, uno de los indicadores teóricos que ha servido para explicar conceptualmente la integración social, es definida por Domínguez como igualdad de oportunidades en el acceso a los bienes y servicios, y la ausencia de discriminación de cualquier tipo. La investigadora deja fuera del análisis la igualdad de resultados para diferentes grupos sociales, con respecto al bienestar. La igualdad de resultados se refiere a la distribución de beneficios y costos, y al acercamiento en los logros que alcancen en su desarrollo diferentes estratos sociales, generaciones, territorios y grupos minoritarios, entre otros.

3. Un aspecto esencial para comprender los procesos de integración social lo constituye la socialización, básica para el despliegue de la integración social. Las contradicciones contenidas en los procesos de socialización, los mecanismos de socialización y sus efectos influyen en la integración social como resultado. La socialización, como proceso dinámico y cambiante, no puede analizarse descontextualizada de los procesos históricos concretos en los que se produce, dentro de los cuales existe una cultura, un lugar y un tiempo determinados y en los que las variables de género y clase no pueden desestimarse.

Por supuesto, ese proceso de socialización que se inicia desde el nacimiento y transcurre durante toda la vida del individuo, no se da de manera homogénea ni uniforme. En relación con los procesos de socialización de género, se plantea:

> ... ocurren fundamentalmente por dos caminos, la identificación con las personas significativas de nuestro entorno, especialmente nuestros padres: queremos ser y hacer lo que son y hacen. También nos socializa la práctica misma del vivir, particularmente las actividades que realizamos en la producción de nuestra existencia. (Izquierdo y Ariño, en Díaz y Dema, 2013, p. 104).

La socialización prepara de manera distinta a hembras y machos; por lo tanto, los valores y normas que trasmiten mediante este proceso, marcan espacios y roles diferentes para devenir mujeres y hombres en el proceso de asumir las rígidas normativas de género que se imponen, y que su transgresión es desaprobada y castigada en los diferentes ámbitos de socialización.

El sexismo como práctica que enfatiza de froma permanente los estereotipos diferenciadores de los géneros basados en una cultura marcadamente machista, es el rasgo distintivo de la socialización diferente, cuya efectividad es indiscutible porque la interiorización de los valores es fundamentalmente inconsciente, emocional y sensitiva.

Por eso se considera de gran utilidad la introducción de la perspectiva de género en el análisis de la realidad social para cuestionar la naturalización de la diferencia sexual y revelar las relaciones de desigualdad entre las personas.

La imposición de un sistema de dos géneros opuestos deja fuera del análisis a distintos grupos de personas que no se identifican con los roles masculino o femenino. Esto explica el surgimiento y desarrollo de los términos *identidad de género* y *transexualidad*. «Entender de forma rígida la identidad del sujeto a través de la sexualidad y hacer de la anatomía genital el centro de esa identidad es parte del problema» (Nieto, 2008, p. 320).

Los mecanismos de socialización por excelencia son los institutos socializadores de la personalidad, en calidad de sistemas organizados de relaciones sociales que incluyen algunos valores y procedimientos comunes, y satisfacen algunas necesidades básicas de la sociedad a las que la persona accede o tiene como referencia. Entre estos se pueden señalar la familia, la escuela, la cultura, la religión y el grupo de iguales, entre otros. Por lo tanto, se podría afirmar que, a efectos de conocer e influir en los procesos de integración social, es importante tener en cuenta los mecanismos, contradicciones y propuestas relacionados con el proceso de socialización.

En general, se comparte la idea de que cualquier proceso de integración social presupone la aceptación de la diversidad, la oposición a toda forma de discriminación y la inserción social como condición básica. Su análisis debe contener además la valoración de las tendencias desintegradoras en relación con la participación, la justicia y la cohesión sociales.

Para lograr la integración de las personas transexuales, es de vital importancia considerar las ideas de Miguel Limia David acerca de la operatividad y el adecuado diseño y ejecución de políticas, y de la necesidad de readecuación continua de las instituciones para acondicionarlas sistemáticamente con el fin de convertir en voluntad política los intereses, aspiraciones y capacidades de quienes deben servirse de estas (Limia, 1991).

Alcanzar niveles más altos de emancipación humana y dignificación personal-social —es decir, comprender la transformación de la sociedad como un todo—, presupone la existencia de objetivos y acciones dirigidos a las distintas esferas del desarrollo social. Este proceso tiene un carácter multidimensional y multicondicional, y abarca los componentes económico, político-jurídico y cultural-espiritual.

Los procesos de integración social requieren de condiciones para su viabilidad, las cuales dependerán del tipo de orden socialmente establecido; en este sentido estarán signados por la marca de la opresión o la emancipación, según corresponda. Es importante que estas condiciones que favorecen la integración social abarquen las diferentes dimensiones del desarrollo, para evitar que se atiendan unas más que otras en las acciones dirigidas a lograr estos fines.

Los procesos de integración social deben planificarse e implementarse con enfoque de participación cooperada, promoviendo la capacidad autogestionaria de la población, lo que debe concretarse en proyectos de transformación social en el plano individual y colectivo.

No se registran estudios cubanos que hayan aplicado la categoría *integración social* a la problemática de la transexualidad como objeto de indagación científica, ni fuentes estadísticas que contribuyan a los análisis de los procesos de inequidad social. Sobre esta idea, Mayra Espina señala:

> Una dificultad para profundizar en la evaluación de los efectos de la política social cubana de equidad de oportunidades en términos de avances en el sentido de paridad grupal de resultados, resulta del hecho de que las estadísticas sociales registran muy pocos eventos en su expresión diferenciada por grupos sociales, de manera que avances generales no siempre pueden ser valorados en su impacto específico sobre grupos en desventaja socioeconómica. No obstante, diversos estudios han documentado tres brechas de equidad que parecen ser las más extendidas y que ofrecen mayor resistencia a ser removidas por la intervención pública: las brechas de género, racializadas y territoriales. (Espina, 2010)

Se conocen otros factores sociales que contribuyen a reforzar las brechas de equidad asociadas a la transexualidad, cuyos efectos se distancian de los fines ideológicamente deseados en función de la emancipación humana; entre estos se encuentran:

- la existencia de algunas disposiciones legales que contribuyen a reafirmar la concepción binaria de género y, unido a ello, la práctica profesional de juristas que inciden negativamente en la relación armónica de este grupo social con la sociedad;

- el tratamiento que dan al tema los medios de comunicación masiva y la creación artística y literaria, que favorecen la persistencia de modelos que promueven relaciones humanas asimétricas, en las que interviene la persona transexual;
- el papel de las ciencias, que aún no han logrado superar, como se anhela, los arquetipos y, con estos, la marginación y la exclusión sociales respecto a estas personas, especialmente las prácticas médicas que estigmatizan a las personas transexuales desde un modelo patologizador dominante;
- los mitos y creencias populares compartidos, y el papel de los centros de trabajo, las familias, los directivos y las instituciones comunitarias, así como las creencias de los propios grupos de personas transexuales, que reproducen la automarginación, la exclusión y los vínculos no comunitarios en sus sistemas de relaciones hacia dentro de sí como grupo y en relación con la sociedad en su conjunto.

Esta situación indica que la potencialidad que ofrece este grupo social para la reproducción de sujetos ideológicamente deseados no se ha explotado suficientemente, por lo que emerge, como necesidad, el desarrollo de políticas científicamente fundamentadas, encaminadas a la estimulación y el desarrollo del proceso de integración social de las personas transexuales. Ello, a su vez, implica apropiarse de un enfoque de género, educación y salud sexual basado en los derechos, en un proceso de dignificación de las expresiones de la diversidad humana desde una perspectiva ética y de integración social.

Aunque no se ha trabajado de manera específica el concepto de integración social en su relación con la problemática de las personas transexuales en Cuba, se ha desplegado un proceso de atención integral a este grupo social desde 1979.

Desde el triunfo de la Revolución Cubana (1959), se evidenció la voluntad política, por parte del Estado y el gobierno, de atender las diferentes formas de discriminación que se identificaron en diferentes momentos históricos. El tratamiento institucional a las personas transexuales comenzó por el Sistema Nacional de Salud Pública, en 1979, mediante la atención médica y psicológica especiali zada que coordinaba el Grupo Nacional de Trabajo de Educación

Sexual (GNTES),[1] que en 1989 devino Centro Nacional de Educación Sexual (CENESEX).

La sistematización, realizada por la autora, de la experiencia desarrollada por la Federación de Mujeres Cubanas (FMC) y el CENESEX para satisfacer las demandas[2] de este grupo social desde 1979 hasta 2008, contribuyó a la redefinición del modelo de atención a la realidad transexual y a la urgencia de trascender el modelo biomédico dominante a nivel internacional hacia una visión social y de derechos. Esto supuso un cambio de paradigma en la comprensión de la transexualidad y de su mirada centrada en la figura patologizada y manipulada de la persona transexual para apuntar a la sociedad y, más específicamente, a los patrones que imponen relaciones de poder y despojan de derechos a estas personas.

Un hecho que confirma el referido cambio paradigmático, es que en 2005, a propuesta de la autora, se sustituyó el nombre de la Comisión Nacional de Atención a los Trastornos de la Identidad de Género por Comisión Nacional de Atención Integral a Personas Transexuales, quedando así establecida en la Resolución 126 de 2008 del Ministerio de Salud Pública.

Lograr el ejercicio pleno de los derechos de las personas transexuales, requería transcender los ámbitos personales, familiar y médico, para configurarse como objeto de política pública. Sobre la base de esta idea, la autora desarrolló una estrategia de atención integral a las personas transexuales que aportó elementos de análisis al tratamiento del tema en las políticas públicas.

1 El GNTES surgió por iniciativa de la Federación de Mujeres Cubanas (FMC) en 1972, para crear y coordinar el Programa Nacional de Educación Sexual. Se oficializó en 1977 como grupo asesor de la Comisión Permanente de Trabajo para la Atención a la Igualdad de Derechos de la Mujer, la Infancia y la Juventud, de la Asamblea Nacional del Poder Popular. Posteriormente, el Ministerio de Salud Pública emitió la Resolución 235 del 28 de diciembre de 2008, mediante la cual creaba el Centro Nacional de Educación Sexual (CENESEX) como institución subordinada al propio Ministerio.

2 En entrevista grupal realizada por la autora a un grupo de treinta y tres personas transgénero en 2001, se identificaron tres demandas: la cirugía de reasignación sexual, el reconocimiento legal del cambio de identidad de género y el cese de la hostilidad policial.

Se realizó un conjunto de acciones dirigidas, por una parte, al desarrollo de las capacidades de las personas transexuales para su inserción en la sociedad y, por otra, a la sensibilización de las instituciones para el adecuado tratamiento a este grupo social.

Con las personas transexuales se realizaron diferentes cursos y talleres para formarse como promotoras y promotores de salud sexual, como un modo de colaborar con el Programa Nacional de Control y Prevención de las ITS/VIH/sida, y visibilizarse como actores sociales en la prevención de la epidemia. Otros cursos estaban dirigidos a su formación como activistas por los derechos sexuales y a su enriquecimiento cultural.

A partir de estas experiencias, las personas transexuales comenzaron a participar en espacios que han contribuido a revertir paulatinamente situaciones de discriminación.

Con las instituciones se realizaron seminarios y talleres de sensibilización para superar la ignorancia que estaba en la base de los prejuicios transfóbicos, actitudes estigmatizadoras que se expresaban en el rechazo, la lástima y la exclusión social de estas personas. Se sostuvieron espacios de diálogo con actores sociales individuales y colectivos para que se responsabilizaran con las acciones de atención integral a las personas transexuales en diferentes ámbitos sociales, principalmente en las familias, los centros de estudio, trabajo, salud, cultura y deporte, y las organizaciones sociales, entre otras. De manera especial se trabajó con instituciones del sistema judicial cubano (Tribunal Supremo Popular, Fiscalía General de la República, Organización Nacional de Bufetes Colectivos y Ministerio del Interior, especialmente con la Policía Nacional Revolucionaria).

Como antecedentes importantes de estas acciones, se puede señalar que:

- Luego de estudiar algunas experiencias para el tratamiento legal y de salud de la transexualidad en países que se consideraban avanzados en la década de los setenta, se elaboraron y recomendaron al Ministerio de Salud Pública los procedimientos de atención, coincidentes con los estándares de cuidados de la Asociación Internacional de Disforia de Género Harry Benjamin, que habían sido aprobados ese mismo año.
- En 1988, especialistas cubanos practicaron satisfactoriamente la primera experiencia quirúrgica de adecuación genital

a una transexual femenina. Poco tiempo después se suspendió la realización de este proceder quirúrgico por el Sistema Nacional de Salud (SNS), a partir del enfoque inadecuado dado por los medios de comunicación social.

- Ante el vacío legislativo relativo al reconocimiento legal del cambio de identidad de género de las personas transexuales, desde 1997 se logró la implementación de algunos acuerdos con los ministerios del Interior y de Justicia para cambiar los nombres y las fotos en el carné de identidad de las personas transexuales. Estos cambios no permiten modificar, en lo absoluto, los documentos registrales, pues de la interpretación de la ley siempre se ha inferido que la morfología de los órganos genitales son los que determinan el sexo legal. Por tal razón, el cambio de nombre y de sexo en los documentos registrales es posible solo en aquellos sujetos que se hayan sometido a la cirugía de adecuación genital. En algunos casos aislados ha resultado satisfactoria la pretensión de modificación del nombre de personas sin haber recibido el tratamiento quirúrgico.
- En 2005 el CENESEX reorganizó y amplió la composición del equipo multidisciplinario encargado del diagnóstico, tratamiento y atención social a las personas transexuales, con una redefinición de sus funciones. Todavía no se cuestionaba la patologización de la transexualidad.
- En el V Congreso Cubano de Educación, Orientación y Terapia Sexual (2010) se aprobó una declaración de apoyo a la campaña internacional por la despatologización trans, aprobada previamente en la Asamblea General de la Sociedad Cubana Multidisciplinaria de Estudio de la Sexualidad (SOCUMES).

Como resultado del trabajo desarrollado entre 2001 y 2014, se alcanzaron algunos logros:

- Cuba es el único Estado que garantiza atención de salud integral, especializada, universal y gratuita a las personas transexuales. Este sistema de atención incluye las cirugías de adecuación genital y otros procedimientos para la feminización o la masculinización.

- Implementación de un plan de acciones para la atención integral a las personas transexuales, como recomendación a las políticas públicas.
- El Programa Nacional de Educación y Salud Sexual (PRONESS), como marco general de la política pública, se encuentra en proceso de actualización permanente.
- Espacios para el debate público permanente sobre el tema.
- Modificación de los procesos para la obtención de documentos de identificación, lo que asegura una imagen acorde con la identidad de género de las personas transexuales.
- Modificación del género y los nombres de las personas intervenidas quirúrgicamente, en los asientos registrales del estado civil de las personas transexuales.
- Implementación de los Servicios de Orientación Jurídica del CENESEX, que desde 2007 asisten a las personas transexuales y a sus familias.
- La elección de una persona transgénero como miembro del órgano legislativo en un municipio del país.
- Inclusión de la no discriminación por identidad de género en las recomendaciones a la política del Partido Comunista de Cuba (PCC) en su Primera Conferencia, celebrada en enero de 2012.
- Diseño y aplicación, desde 2007, de un protocolo de atención y tratamiento integral de salud para personas transexuales, en correspondencia con los estándares internacionales y las características de nuestro Sistema Nacional de Salud (SNS).
- Realización de investigaciones científicas sobre la transexualidad desde los aportes multidisciplinarios de las ciencias y especialmente de las ciencias sociales.
- Socialización de los resultados de investigaciones en libros, revistas especializadas y otras fuentes impresas y digitales.
- Desarrollo de campañas educativas y de bien público que han contribuido a la comprensión y el respeto de la comunidad hacia las personas transexuales.
- Implementación de programas de capacitación y sensibilización sobre las realidades de las personas transexuales y sus derechos, dirigidos a decisores/as.
- Elaboración y propuesta de mecanismos legales que regulen el tratamiento integral a las personas transexuales en Cuba.

- Implementación de programas educativos para las familias de personas transexuales.
- Propuestas de vías para que los Organismos de la Administración Central del Estado (OACE) y las Organizaciones de la Sociedad Civil faciliten los procesos de inserción social de las personas transexuales.
- Creación paulatina, a partir de 2003, de los grupos que integran las Redes Sociales Comunitarias del CENESEX, conformadas por activistas que promueven los derechos sexuales, dentro de las que se destacan los grupos de personas transexuales, travestis y transformistas, además del grupo «Familias de personas trans».
- En junio de 2008 se aprobó la Resolución 126 del MINSAP para disciplinar los procedimientos de la atención especializada de salud a personas transexuales, legitimar las funciones de esta comisión y la creación de un centro de atención integral.
- Creación del Centro de Atención Integral a las Personas Transexuales y a sus familias, con normas de atención que incluyen los consentimientos informados respecto a los procederes hormonales y quirúrgicos de feminización o masculinización (mastectomías subcutáneas bilaterales y cirugías de implante mamario) y las cirugías de adecuación genital (de mujer a hombre y de hombre a mujer). También se establecieron los protocolos quirúrgicos de las cirugías de adecuación genital, con el apoyo de expertos de la Universidad de Gent (Bélgica) y del Grupo de Género del Hospital Universitario de Ámsterdam.
- Desde 1979 hasta junio de 2014 han solicitado atención del Grupo Multidisciplinario un total de 260 personas. De ellas, 57 se han identificado como personas transexuales y 23 se han beneficiado de cirugías de adecuación genital.
- Desde 2007 el CENESEX, junto a otras organizaciones del Estado y de la sociedad civil, comenzó a celebrar el 17 de mayo como Día Internacional contra la Homofobia. Desde 2008 se celebran las Jornadas Cubanas contra la Homofobia y la Transfobia, que promueven el respeto a la libre orientación sexual e identidad de género como ejercicio de justicia y equidad social.

- Presentación de resultados de investigaciones científicas y sistematización de experiencias en congresos nacionales e internacionales, realizados en Cuba y en otros países, que han enriquecido el diálogo científico sobre el tema.
- Participación de activistas transexuales en eventos para el intercambio de experiencias, en contextos nacionales e internacionales.
- Haciendo uso de su capacidad legislativa, regulada en la Constitución de la República de Cuba, la Federación de Mujeres Cubanas (FMC) ha encabezado durante casi veinte años un proceso de revisión y reelaboración del Código de Familia aprobado en 1975, después de ser sometido a consulta popular. Por la importancia de las modificaciones que aporta este documento para el ejercicio de nuestros derechos ciudadanos al contemplar aspectos relacionados con la protección y el bienestar de las personas, a partir de sus derechos humanos básicos y de sus responsabilidades sociales, se acordó incluir un nuevo articulado sobre los derechos de las identidades de género y las orientaciones sexuales.

Como se puede apreciar, se ha trabajado sobre la base del reconocimiento de la importancia de la educación como recurso para la transformación de las conciencias y de la cultura en la sociedad cubana actual, para desarticular los mecanismos de discriminación e instituir valores de solidaridad y respeto a la dignidad plena y a los derechos de las personas transexuales.

A pesar de estos logros, se han identificado desafíos asociados a:

- particularizar una estrategia de integración social de las personas transexuales, con sus correspondientes etapas y objetivos, en evidencias de monitoreo y evaluación que faciliten en la práctica elevar los indicadores de justicia social, participación y cohesión de este grupo en el funcionamiento de la sociedad;
- perfeccionar las relaciones intersectoriales e interinstitucionales como vía para desarrollar la integración social de las personas transexuales, promoviendo alianzas e intercambios de buenas prácticas entre las instituciones nacionales e internacionales;

- incidir, a través de los vínculos interinstitucionales que coordina el CENESEX, para que se logren avances más significativos en el ordenamiento jurídico cubano, vinculados a la protección de los derechos ciudadanos de las personas transexuales;
- lograr una formación más sólida en términos de conocimientos y habilidades del grupo de profesionales que forman parte de la Comisión Nacional de Atención Integral a Personas Transexuales, especialmente en lo relacionado con los aportes de las ciencias sociales y humanísticas;
- avanzar más en la capacitación de actores sociales que tienen la responsabilidad de decidir procesos que pueden obstaculizar la integración social de las personas transexuales;
- elevar el proceso de desarrollo de capacidades de las personas transexuales para su inserción social,[3] especialmente en aquellas cuestiones que garantizan un mayor acceso de las mismas a fuentes de empleos dignos y a procesos de superación técnico-profesional y de preparación para la vida, como activistas y promotoras/es en diversas áreas del desarrollo.

Prestar atención a la situación de las personas transexuales tiene gran trascendencia social por el papel que podrían desempeñar las instituciones y organizaciones del Estado y el propio grupo de personas transexuales en los procesos socializadores y, por consiguiente, en la viabilidad del proyecto social cubano, que declara, como su fin mediato más importante, la formación de un ser humano de nuevo tipo. La no construcción de metas, objetivos y propósitos colectivos a nivel de grupos puede ser un obstáculo en el alcance de los fines ideológicamente planteados.

El análisis funcional de cualquier proyecto social, o sea, las vías para alcanzar sus fines, debe tomar en cuenta que los medios de la

[3] «Aun cuando no existe una relación de igualdad entre desinserción y desintegración, no cabe dudas de que la primera es terreno propicio de la segunda, pues en la medida en que los sujetos no encuentran un espacio social donde insertarse de forma provechosa, se pierden los nexos colectivos y los compromisos hacia el conjunto; se resiente la cohesión y pierde efecto la presión de las normas sociales» (Domínguez *et al.*, 2008, p. 81).

actividad política deben tributar no solo al logro de los fines generales del proyecto, sino también a los fines particulares de la colectividad a la que sirve el medio. La más acertada correlación de lo general, lo particular y lo singular hace más eficaz el proyecto social en el orden funcional.

El doctor Miguel Limia David, académico titular de la Academia de Ciencias de Cuba, aporta una reflexión muy esclarecedora:

> El Estado tiene que promover condiciones para que la sociedad se configure sobre la base de la igualdad y la no-discriminación racial, de género y sexual, esto incluye igualdad de oportunidades y de tratamiento público diferenciado e individualizado a las diferentes personas. Es una noción del Estado como medio no sólo de gobernación, sino de desenajenación, de participación de todos, de dignificación personal de cada uno. Por tanto, ha de incluir en su desenvolvimiento la eliminación de los mecanismos que reproducen las discriminaciones en lo económico, político, social y cultural. Esa es una vocación suya de carácter esencial a materializar en la práctica cotidiana del gobierno de la sociedad. (Limia, s.f., p. 162)

En el caso de las personas transexuales, sobre las que, además, no se proyectan adecuadamente, según se ha demostrado, todas las bondades de la política social revolucionaria —lo que genera dificultades en los procesos de integración social y obstaculiza la transmisión de valores, como encargos de la sociedad que estas personas pueden impulsar potencialmente—, resulta de vital importancia el trazado de políticas de inclusión a través de estrategias de integración social.

> En el nuevo contexto histórico de la Revolución Cubana —desde una nueva perspectiva incluyente, redefinidora de espacios y tiempos institucionales y normativos—, hay que notar cada vez más las diferencias y diversidades no como disfunciones, sino como nuevas potencialidades para el desarrollo, para el aporte socialmente útil, como riqueza, como fuerzas a sumar, no a restar. (Limia, 2013, pp. 27-28)

Las estrategias de integración social de las personas transexuales podrían conceptualizarse como herramientas para la toma de decisiones políticas, sustentadas en una visión transdisciplinaria y holística de la persona transexual en su sistema de relaciones sociales, con perspectiva de género, criterio de interseccionalidad y respeto por los derechos de las identidades de género.

Las estrategias de integración social de las personas transexuales deben contemplar las dimensiones legal, de salud, educativa, económica, laboral, familiar, comunicativa, sociopolítica, cultural-espiritual e individual.

Para lograr la integración social de las personas transexuales, la sociedad requiere de un cambio de paradigma que la facilite, porque, de lo contrario, continuará reproduciendo los mecanismos de discriminación y exclusión que no le permiten avanzar como civilización desde una perspectiva humanista y de derechos. Sin embargo, la sociedad tampoco podría avanzar en estos fines si las personas transexuales no resignifican su lugar en la sociedad, pero sin voluntad política resulta muy difícil crear estos mecanismos.

Conclusiones parciales

Con el fin de que las acciones para la integración social de las personas transexuales logren ejercer un impacto efectivo, no deben enmarcarse en políticas sectoriales, sino integrarse y orientarse hacia la sociedad como unidad en su diversidad, lo que permitirá una evaluación real de las mismas sobre la estructura, el funcionamiento y la calidad de vida de los diferentes grupos sociales que la integran. Prestar la debida atención a estos aspectos por parte de la sociedad cubana reviste una gran importancia por su incidencia profunda en el funcionamiento de la sociedad en su conjunto y, consecuentemente, en la actitud emancipada, justa, participativa y cohesionada de las nuevas generaciones.

Para vivir en diversidad es necesario aprender a vivir en comunidad, lo que significa potenciar la conciencia crítica de la sociedad en torno a las contradicciones que están en la base de los prejuicios y estereotipos que obstaculizan la integración social de las personas transexuales.

La integración social de las personas transexuales en el contexto actual de la sociedad cubana

La transexualidad en el contexto histórico-político de la Revolución Cubana. Contradicciones y avances

La sociedad cubana contemporánea es un escenario de contradicciones entre los modelos de dominación, históricamente heredados de los sistemas colonial y neocolonial, y su proyecto revolucionario emancipador. Se ha demostrado que, no obstante la influencia de las políticas y servicios públicos implementados en Cuba a partir del triunfo de la Revolución, caracterizados esencialmente por su enfoque de justicia social y de beneficios para las mujeres, la infancia y la juventud, que ejercieron un impacto muy positivo en la sociedad y particularmente en estos grupos, perduran procesos de reproducción de desigualdades vinculadas a las identidades de género y asociadas a factores económicos, políticos, culturales y jurídicos, que tienen como telón de fondo la ausencia de un enfoque teórico consensuado respecto al tema *género*, lo que continúa siendo un reto de las ciencias sociales cubanas, en su función crítica, diagnóstica, prospectiva y propositiva.

Comprender la situación actual de la transexualidad en Cuba y la necesidad de colocar su atención como objeto de política, exige ubicarse en la evolución histórica del tema en la agenda social de la Revolución Cubana. Un recorrido sintético por esta evolución muestra que la puerta de entrada del tema ha sido la lucha por la emancipación de las mujeres, entre cuyos ejes principales se destacan la salud y la educación sexual. Si se sigue este hilo conductor, podemos identificar una periodización con los siguientes hitos y momentos fundamentales.

Primera etapa. La mujer en la política social y atención a su salud reproductiva (1959-1974)

Se caracteriza por la participación organizada de las mujeres en las transformaciones sociales y el desarrollo de acciones que beneficiaron la salud y la vida de las mujeres y sus hijas e hijos. Sobre estas experiencias intersectoriales se gestaron las bases para la creación en 1972 del Grupo Nacional de Trabajo de Educación Sexual (GNTES), encargado de elaborar el Programa Nacional de Educación Sexual, liderado por la Federación de Mujeres Cubanas (FMC), con la participación de la Unión de Jóvenes Comunistas (UJC) y los ministerios de Educación y de Salud. En el Segundo Congreso de la FMC (1974) se aprobaron importantes resoluciones sobre los derechos de las mujeres y quedó reconocida la importancia de la educación sexual en la formación de las nuevas generaciones.

El proceso fue paradójico y contradictorio, pues si bien se subvertían los viejos códigos, y las nuevas políticas respaldaban los derechos de las mujeres, las posiciones sexistas se resistían. El predominio de una cultura patriarcal, homófoba y tranfóbica, históricamente arraigada y avalada por la hegemonía universal, portadora de una producción científica patologizadora y estigmatizante, influyó en la no aplicación del principio de justicia social y respeto pleno a la dignidad humana para aquellas personas que transgredieran las estrictas normas de género y sexualidad (Castro, 2011b). Los prejuicios se expresaron en diferentes espacios y circunstancias, como los procedimientos de movilización empleados con las personas de la diversidad sexual para cumplir el Servicio Militar Obligatorio en las Unidades Militares de Apoyo a la Producción (UMAP) entre 1966 y 1969, las consecuencias de la declaración final del Primer Congreso Nacional de Educación y Cultura (1971) (*La política cultural de la Revolución Cubana: memoria y reflexión*, 2008), que llamaba a impedir las oportunidades de empleo para homosexuales en el ámbito de la educación, la cultura y los medios de comunicación,[1] y los procesos discriminatorios que ocurrieron en las universidades, en las filas del Partido Comunista de Cuba y la Unión de

[1] Esta resolución fue abolida en 1975, por orden del Tribunal Supremo, sobre la base de su carácter inconstitucional.

Jóvenes Comunistas hasta principios de la década de los ochenta del siglo pasado.

Segunda etapa. Institucionalización de los temas *mujer* y *sexualidad* (1975-1989)

Esta etapa se caracterizó por la implementación de las políticas sobre la igualdad de derechos de la mujer y la educación sexual, aprobadas en el Primer Congreso del Partido Comunista de Cuba en 1975.[2] En consecuencia, ese mismo año se aprobó el Código de Familia, considerado el más avanzado para su época en todo el continente, pues legitimó el derecho de hombres y mujeres a una sexualidad plena y libre, aunque lleva la impronta del enfoque heteronormativo que ha predominado en la normativa y la doctrina del Derecho Internacional. Con el objetivo de facilitar el intercambio con sociedades científicas nacionales, regionales e internacionales, se creó en 1985 la Sociedad Cubana Multidisciplinaria para el Estudio de la Sexualidad (SOCUMES) como una organización de la sociedad civil, estrechamente vinculada a los propósitos del GNTES, que en 1989 devino Centro Nacional de Educación Sexual (CENESEX) como institución especializada y presupuestada del Estado, adscrita al Ministerio de Salud Pública (MINSAP). La mayor responsabilidad del Programa Nacional de Educación Sexual se mantuvo en los ministerios de Salud y Educación, la FMC, la UJC y se incorporó el Ministerio de Cultura, que para su coordinación se apoyaban en comisiones de trabajo en todas las provincias y municipios del país.

En 1979 se comenzó a publicar en Cuba información científica acerca de la despatologización de la homosexualidad, según anunciara la Asociación Americana de Psiquiatría desde 1973 y se institucionalizó la atención a la transexualidad como trastorno mental por el Sistema Nacional de Salud Pública, con la aplicación de los procedimientos de cuidados aprobados por la Asociación Internacional de Disforia de Género Harry Benjamin. En 1988, un equipo

[2] La importancia de la educación sexual quedó expresada de manera general en dos resoluciones: «Sobre la formación de la niñez y de la juventud» y «Sobre el pleno ejercicio de la igualdad de la mujer».

de médicos cubanos realizó exitosamente la primera cirugía de reasignación sexual a una persona transexual femenina. No obstante los avances alcanzados respecto al tratamiento de las orientaciones sexuales e identidades de género, las políticas y servicios públicos no daban respuestas satisfactorias a las necesidades de estos grupos sociales, lo que expresaba una fuerte contradicción entre las nuevas políticas y sus procesos de implementación. El ámbito de la cultura constituyó un ejemplo particular de estas contradicciones al aplicarse una política de exclusión a creadores y artistas por su condición sexual y de género. En el ámbito de la salud, el MINSAP interrumpió la realización de las cirugías de reasignación sexual a personas transexuales, al recibir mensajes de desaprobación por parte de la población (Castro, 2008), y en 1979 se promulgó un nuevo Código Penal, que derogaba el Código de Defensa Social vigente desde 1936, pero mantuvo el delito de escándalo público, a través del cual se penalizaba el acoso sexual solamente si era perpetrado por una persona homosexual.[3]

En esta etapa predominó un enfoque biologicista en los contenidos escolares, que solo instruía acerca de los órganos reproductores mediante la asignatura de Biología en la enseñanza media y un tratamiento sanitarista en el sector de la salud, que centró sus mensajes en la prevención de enfermedades de transmisión sexual y del embarazo precoz. Los temas de género, orientaciones sexuales e identidades de género aún no se trataban por las instituciones vinculadas al Programa Nacional de Educación Sexual, por lo que se reproducían mensajes educativos sexistas, homófobos y trasfóbicos de manera explícita e implícita.

Tercera etapa. La introducción del enfoque de género en los temas *mujeres* y *sexualidad* (1990-2004)

La etapa comienza con la creación de la primera Casa de Orientación a la Mujer y a la Familia por la FMC en 1990, y su extensión paulatina a todos los municipios del país. Se caracterizó por la introducción de la perspectiva de género en el trabajo académico

[3] Ver *Gaceta Oficial* de 1 de marzo de 1979.

intersectorial y comunitario. Para ello se desarrollaron procesos formativos en diferentes metodologías participativas, especialmente la de los Procesos Correctores Comunitarios (ProCC), que interviene sobre los malestares de la vida cotidiana. Como parte del Programa Nacional de Educación Sexual, tomó organicidad el proyecto Maternidad-Paternidad Responsables (1992) y se crearon las cátedras de Sexología y Educación de la Sexualidad en todas las universidades médicas del país y en la Escuela Nacional de Salud Pública (1993). Simultáneamente, el CENESEX organizó un sistema de formación posgraduada, en la que introdujo cursos, diplomados y maestrías avalados por el Instituto Superior de Ciencias Médicas de La Habana.

Para apoyar las acciones formativas y de divulgación científica, en 1994 se fundaron la revista *Sexología y Sociedad* y la sección «Sexo sentido» del periódico *Juventud Rebelde*. En 1996, por un acuerdo entre el Ministerio de Educación y el CENESEX y con apoyo del Fondo de Población de Naciones Unidas, se extendió la educación sexual a todos los niveles del Sistema Nacional de Educación (SNE) por medio del proyecto «Por una educación sexual responsable y feliz», con énfasis en la enseñanza media y el enfoque de género como eje transversal. En 1997 la FMC fundó su Centro de Estudios para coordinar la formación y capacitación de la población femenina en temas de género, y creó el Grupo Nacional de Atención y Prevención de la Violencia Intrafamiliar.

El compromiso de la política gubernamental respecto al adelanto de la mujer pasó del proceso de participación iniciado en la década de los sesenta y la introducción del término *igualdad* en la de los setenta, a la explicitación de la categoría *género*, contenida en el Plan de Acción Nacional de Seguimiento a la Conferencia de Beijing, aprobado el 7 de abril de 1997 como acuerdo del Consejo de Estado.

El impacto del VIH en la población masculina visualizó la necesidad de una estrategia dirigida a los hombres que tienen sexo con hombres (HSH) para reducir el riesgo epidemiológico de esta población, sin incluir el enfoque de derechos humanos relativos a la orientación sexual, que luego se incorporó. En 1997 se eliminó el delito denominado escándalo público, que contemplaba la penalización de personas que supuestamente importunaban a otras con requerimientos homosexuales, y se sustituyó por el de ultraje sexual, que incluye la prohibición general de acosar a otra persona con requerimientos sexuales, sin que sea relevante la orientación sexual e identidad de género.[4]

Se realizaron importantes congresos científicos, entre los que destaca el XVI Congreso Mundial de Sexología (2003), que contó con una estrategia comunicacional para divulgar los temas tratados en los medios de comunicación. Durante su preparación se fortaleció la capacidad organizativa del CENESEX, se analizó críticamente el trabajo realizado, incluida la confrontación de sus áreas de acción con los avances de la educación sexual y la sexología a nivel nacional y mundial, y se sistematizaron las prioridades, principios y objetivos del Programa Nacional de Educación Sexual, que a partir de ese momento se denominó ProNES. Como resultado de este trabajo, en 2004 se realizó un ejercicio participativo de reelaboración y actualización de la estrategia institucional del CENESEX.

En este período fue visible el interés de algunas instituciones, especialmente en el contexto académico, por introducir la perspectiva de género, aunque se aprecia la tendencia a interpretarla como estudios sobre las problemáticas de las mujeres. Un artículo sobre la visualización en la revista *Sexología y Sociedad* del proceso de inclusión de la perspectiva de género en la producción científica sobre los temas de sexualidad desde 1994 hasta 2012, revela, entre otros elementos, que:

- «los estudios sobre las mujeres abordan las diferentes etapas del ciclo vital a partir de la adolescencia ... y que los temas priorizados se relacionan con la fecundidad ... y la planificación familiar»;
- los estudios sobre los hombres refieren, fundamentalmente, temáticas relacionadas con disfunción sexual y masculinidad. (Bombino, 2013, p. 29).

Entre 1997 y 2002 en la revista *Sexología y Sociedad* se publicaron diversos artículos sobre homosexualidad y transexualidad con la firma de autores nacionales y extranjeros (Bombino, 2013), pero se observa un vacío en los estudios sobre la población lésbica.

[4] Ver Decreto-Ley no. 175, de 17 de junio de 1997 (artículo 28) en *Gaceta Oficial Extraordinaria*, no. 6, de 26 de junio de 1997, p. 43.

Lo contradictorio de esta etapa reside en que mientras se avanzaba en acciones concretas con relación a la perspectiva de género, que visibilizaba otras realidades vinculadas a las orientaciones sexuales e identidades de género, la norma jurídica penal vigente instituía claramente la discriminación a las personas homosexuales, que en la práctica incluía a otras expresiones de la diversidad sexual. No obstante, en el CENESEX comenzaron a crearse grupos como TransCuba (2001) y Las Isabelas (2002), integrado por mujeres lesbianas y bisexuales en Santiago de Cuba, que dieron inicio a la creación posterior de las Redes Sociales Comunitarias del CENESEX.

Cuarta etapa. Diversidad sexual con enfoque de derechos humanos (2005-)

El inicio de esta etapa está marcado por la presentación de la Estrategia Nacional para la Atención Integral a Personas Transexuales, que comenzó a elaborarse y aplicarse desde 2001 a tres Comisiones de Trabajo Permanente de la Asamblea Nacional del Poder Popular (ANPP) entre 2005 y 2006, y se asumió un enfoque social y de derechos humanos, que sustituyó el paradigma biomédico que había predominado. Por lo tanto, sobre esta base se amplió y modificó la denominación del equipo multidisciplinario, creado en 1979, para el diagnóstico y atención a personas transexuales. En 2007 se retomó la práctica de la cirugía de readecuación genital y en 2008, por resolución ministerial, el MINSAP legitimó las funciones de la Comisión y los procedimientos asistenciales específicos, y creó un centro de salud especializado. Este proceso se ve reflejado en el aumento de las publicaciones sobre transexualidad en la revista *Sexología y Sociedad*. En enero de 2010, la Asamblea General de la SOCUMES aprobó, por unanimidad, una propuesta de despatologización de la transexualidad, presentada por esta Comisión. Sobre esta base la Comisión participó en la consulta de la Organización Mundial de la Salud a la Asociación Mundial de Profesionales de la Salud Transgénero (WPATH, por sus siglas en inglés), en la que defendió la no inclusión de la transexualidad en el Manual de Clasificación de Enfermedades Mentales que se encontraba en proceso de nueva edición (2013).

En 2007 el CENESEX y el grupo TransCuba celebró, por primera vez en Cuba, el Día Internacional contra la Homofobia, con el debate del filme *Boys Don't Cry*, que trata sobre un caso real de lesbofobia y transfobia en los Estados Unidos. Ese mismo año se crearon los Servicios de Orientación Jurídica a la Población en el CENESEX y al año siguiente se comenzaron a celebrar lo que se han llamado las Jornadas Cubanas contra la Homofobia y Transfobia, como parte de una estrategia educativa y comunicacional más amplia, que desde entonces promueve el respeto a la libre y responsable orientación sexual e identidad de género como ejercicio de justicia y equidad social.

En la actualidad, Cuba es reconocida internacionalmente por sus avances en el campo de los derechos sexuales y en especial por su política de atención a la transexualidad. Sin embargo, persisten contradicciones sustanciales.

Mientras la Primera Conferencia del PCC (2012) aprobó entre sus objetivos la no discriminación por orientación sexual y la recomendación de incluir en las políticas la no discriminación por identidad de género, el nuevo Código del Trabajo, aprobado en la Asamblea Nacional del Poder Popular (ANPP) en diciembre de 2013, no contempló esta recomendación; en Cuba, desde 2013 se acepta emitir documentos de identidad que incluyen el cambio de foto de la persona transexual de acuerdo con su identidad de género, sin contemplarse aún en este documento el cambio legal de sexo y nombre de quien no se haya sometido a la cirugía de adecuación genital; el Gobierno Cubano apoyó la Declaración General de Naciones Unidas sobre Derechos Humanos, Orientación Sexual e Identidad de Género en 2008, además de votar a favor de la resolución presentada en el Consejo de Derechos Humanos sobre temas LGBTI en 2014, pero se retiró de la discusión y del voto sobre familias diversas; la FMC ha liderado por casi veinte años las modificaciones al Código de Familia, que introduce, entre otras propuestas, un nuevo articulado sobre orientación sexual e identidad de género que aún está pendiente de presentación a la ANPP; desde 2012 el CENESEX realiza talleres de actualización y perfeccionamiento del ProNES, el que por consenso de sus participantes actualmente se denomina Programa Nacional de Educación y Salud Sexual (PRONESS), que aborda objetivos y acciones dirigidas a promover el conocimiento y respeto de los derechos por orientación sexual e identidad de género, pero en las propias instituciones y organizaciones que participan persisten prejuicios hacia las personas transexuales.

La Revolución es heredera de una cultura patriarcal y homófoba que se pone en crisis por la propia obra emancipadora de la Revolución, pero hasta hoy se preserva como uno de los elementos de desigualdad de más difícil superación, debido a la fortaleza de su naturalización en diferentes formas de la conciencia social. Evaluar las situaciones que en la actualidad reproducen exclusión social, vulnera los derechos de las personas transexuales y las excluye del acceso al bienestar, y supone considerar la evolución de este contexto en la transición socialista cubana, identificando los cambios progresivos y sus contradicciones.

La transexualidad desde la interpretación de actores claves para una política. La voz y experiencia de las personas transexuales[1]

El análisis acerca del estado en que se encuentra la integración social de las personas transexuales en el contexto actual de la sociedad cubana, se realizó considerando los tres indicadores de la variable *integración social*: justicia social, participación social y cohesión social.

Justicia social

La justicia social, como hemos señalado en el apartado metodológico, se refiere a la igualdad en el acceso a oportunidades y resultados con respecto al bienestar y la ausencia de discriminación de cualquier tipo en relación con las personas transexuales.

Casi la totalidad de las personas entrevistadas no se sienten beneficiadas desde el punto de vista de la justicia social. Limitaciones en el Acceso a Oportunidades y Resultados son experimentadas como las mayores carencias en este aspecto. Las mayores percepciones

[1] Los resultados se han narrado enfatizando su arista cualitativa, como percepciones, patrones de expresión de exclusiones, vivencias. En el caso de decisoras y decisores, dado su número y el propósito de mostrar la extensión de los problemas institucionales, el análisis combinó aspectos cualitativos y cuantitativos.

negativas corresponden a las personas T (MaH),[2] a las menores de 30 años, a las desocupadas y a las que no se les ha realizado la cirugía de reasignación sexual. Las expresiones concretas de discriminación que los sujetos refieren y que marcan su experiencia personal, son:

- no tener oportunidades reales a la hora de ser merecedor/a de distinciones pioneriles por «conductas amaneradas»;
- dificultades en el momento de ir a matricular las carreras universitarias que, por méritos propios, habían sido obtenidas;
- no poder estudiar las carreras que deseaban;
- haber sido víctimas de rechazo y agresión física, psicológica y verbal por parte de compañeros de aula y de docentes;
- no contar con el apoyo de su familia a lo largo de su vida;
- recibir agresiones en algún momento de su vida por parte de algún miembro de su familia;
- no haber tenido durante su infancia y adolescencia un diagnóstico preciso por parte de los profesionales de la salud;
- no contar con el respaldo económico de sus familiares y, en algunos casos, ser expulsados de la casa a temprana edad por travestirse;
- no tener vínculo laboral de ningún tipo; los motivos asociados a esta falta de oportunidad se relacionan con su forma de vestir y con no tener hecho aún el cambio de nombre y de sexo en el carné de identidad;
- limitados vínculos con instituciones culturales, lo que influye en sus resultados en términos de inequidades;
- dificultades para acceder a la cirugía de readecuación genital y a las de feminización;
- limitaciones para participar en *Organizaciones sociales* y *Políticas públicas*;
- desconocimiento y débiles vínculos con las estructuras e instituciones de gobiernos locales y comunitarios;

[2] En esta investigación se comprende como T (MaH) a la persona transexual que nace con genitales femeninos y desarrolla su identidad de género como hombre, y como T (HaM) a la persona transexual que nace con genitales masculinos y desarrolla su identidad de género como mujer.

- ser requeridas por la policía por no estar vestidas en correspondencia con el sexo biológico en espacios públicos o por existir contradicciones entre el sexo que dice el carné de identidad y la imagen física que proyectan;
- vincularse con la prostitución como resultado de sus limitadas posibilidades de acceso a los recursos económicos para vivir.

Estos elementos evidencian dificultades en el acceso a oportunidades y resultados de estas personas en los diferentes ámbitos sociales, lo que implica que no pudieron alcanzar logros en el desarrollo de sus metas y planes de vida, al ser obstaculizados por la sociedad. Por consiguiente, representa un problema tanto para el individuo como para el grupo de personas transexuales en general. Asimismo, el estado de este indicador evidencia las condiciones de exclusión social que respecto a ellas se dan en la sociedad cubana actual.

Los datos aportados por la investigación corroboran lo expresado por Mayra Espina y colegas en 2008 respecto a que el tema *género* constituye una de las brechas sociales más difíciles de remover, lo que hizo a este colectivo recomendar el establecimiento de políticas afirmativas dirigidas especialmente a este objeto. El efecto discriminatorio sobre estas personas las victimiza y desarrolla la vulnerabilidad de sus victimarios. Si no se desarticulan los mecanismos de discriminación, se perpetúa la desintegración social.

Una experiencia de este tipo se expresa claramente en el discurso de Beba, T (HaM):

> No he contado con el apoyo de mi familia, solo con el de mi hermana. Fui víctima de maltrato, mi papá me odiaba, me castigaba brutalmente; uno de esos castigos fue ponerme de rodillas en chapas de botellas, me decía que yo no era su hijo, que un maricón no fue lo que hizo. Son marcas que han lacerado mi piel. Un fin de año no me dejó sentarme a la mesa a comer; él no aceptaba que yo comiera con ellos.

La transfobia constituye un proceso discriminatorio y consiste en sentimientos negativos, actitudes y acciones dirigidos en contra de las personas transexuales. La discriminación por identidad de género puede considerarse un aspecto constitutivo de los contextos de vulnerabilidad, ya que promueve el incremento de las desigualdades e impacta directamente en las condiciones de vida de las personas, generando procesos de aislamiento, incomprensión, deserción, falta de trabajo, migración, violencia y marginalidad, entre otros.

La sociedad debe crear mecanismos que faciliten la integración social de las personas transexuales como vía de materialización del principio de la justicia social, esbozado y materializado en la práctica del proyecto revolucionario cubano. El caso de las personas transexuales muestra cómo todavía hay un camino por recorrer en el sentido de facilitar la igualdad de oportunidades, y con ello la obtención de resultados concretos para los grupos sociales con identidades de género que se apartan de la norma binaria de género. En lo relacionado con estas personas, se trata de desigualdades a nivel de satisfacción de necesidades básicas.

Las identidades emergentes y marginadas contienen nuevas formas de expresarse, así como diversos patrones de comportamientos y actitudes. Aprender a respetar estos modelos que se contraponen (según las concepciones de la sociedad patriarcal) al modelo hegemónico de masculinidad y feminidad, conduce a una serie de cambios encaminados a eliminar estos índices de discriminación. Ello presupone considerar la diversidad de identidades de género como un valor en sí mismo y comprender su significación para el desarrollo de la sociedad cubana, como ideal de equidad y justicia socialista con enfoque de diversidad, de diferenciación social.

Participación social

Si bien la participación social, entendida como práctica de autogestión de sujetos individuales y colectivos, y caracterizada por la colaboración social voluntaria y un sistema de acciones (demandas, alternativas, decisión, ejecución y control), se percibe de una manera más positiva por el grupo, en el sentido de que catorce sujetos consideran que casi nunca se les excluye de participar, no puede subestimarse que una buena parte de ellos opinan que algunas veces son excluidos de estas prácticas en los diferentes espacios donde deben desarrollar su actividad cotidiana, enfatizando en las dificultades para colocar demandas, proponer alternativas y tomar decisiones.

En relación con estos aspectos, las dificultades que se señalan con más frecuencia, son:

- No poder expresar adecuadamente las necesidades y propuestas en el seno familiar.
- No permitírseles tomar decisiones importantes que les implicaban o que eran trascendentales para el funcionamiento de la familia.
- Solo ser consultados cuando se necesitaba dinero en el hogar, llegándose a aprobar, en algunos casos, la prostitución de la persona transexual mientras contribuyera a la economía familiar.
- Ser irrespetados de diversas formas: por ejemplo, cuando eran forzados a practicar roles de género que no se correspondían con su identidad.
- Ser objeto de represión violenta por los padres cuando se vestían con atributos del otro sexo, no hablaban en el tono esperado, no se paraban o gesticulaban de acuerdo con las expectativas respecto a su sexo o se dedicaban a juegos establecidos para el otro sexo.
- Prohibición de jugar a causa de sus «conductas amaneradas».
- Negación de la posibilidad de asistir al Servicio Militar Obligatorio.
- No participar en las actividades convocadas por parte del colectivo laboral.
- No proponer decisiones en la escuela.
- No tener participación activa en la vida cultural de la sociedad, pues su participación se ha limitado a espacios de transformismo.
- No ejecutar ni controlar los acuerdos propuestos por las organizaciones sociales a las que pertenecen.
- No participar en las actividades convocadas en los Consejos Populares.
- Casi nula participación en la propuesta de normas jurídicas relacionadas con los derechos sexuales y la identidad de género.
- Utilizar como mecanismo de adaptación social, el hecho de pasar inadvertidas para evitar discriminaciones lastimosas, lo

que implicó que vivieran una gran cantidad del tiempo en forma reprimida.

Armando, T (MaH), refiere que pertenece al CDR, en el que se escuchan sus planteamientos y participa en la toma de decisiones. Sin embargo, al referirse a la UJC y a su centro de trabajo, expresa:

> Era de la UJC, pero me dijeron que tenía que dejarla por cómo era yo… Me mandaban a pelar en el trabajo y, aunque estuviera trabajando, me descontaban el salario. Cuando trabajaba, los mejores proyectos eran los míos, pero de mi trabajo se adueñaba otra persona, porque yo no lo podía presentar.

Resulta evidente que las funciones de la participación no se cumplen en correspondencia con las potencialidades de las personas transexuales y de nuestra sociedad como contexto en que se desarrolla la vida de las mismas. Sale a relucir, a través de las vivencias que aportan los sujetos de la muestra de la investigación, que ocurren en nuestra sociedad opresiones de matriz cultural que limitan la real participación de las personas transexuales. Esta situación está estrechamente vinculada con el sistema de contradicciones sociales de nuestro país, con énfasis en los aspectos teleológicos relacionados con tradiciones estereotipadas, tabúes y creencias que se distancian del proceso cotidiano de reproducción y producción de nuevas identidades dc género.

Tal situación, aún no superada por el aprendizaje social, influye en la prevalencia, por una parte, de modos pasivos de asimilación por las personas transexuales de las normas y expectativas socialmente establecidas; y por otra, de modos no dialógicos, no resolutivos de contradicciones y conflictos que afectan el desarrollo de relaciones sanas y constructivas entre las personas, y entre ellas y la sociedad. Por lo tanto, corresponde a la sociedad crear y desarrollar las bases, objetivos y mecanismos para lograr la participación de las personas transexuales; y a estas, asumir su condición de sujetos activos para la transformación de sus realidades.

Todo ello tiene un impacto negativo para las personas transexuales, ya que no pueden expresar sus demandas, necesidades y aspiraciones o no pueden participar ejecutando y controlando las decisiones que las vinculan, lo que significa la vulneración de su derecho. La postura de la sociedad a través de sus instituciones, que se caracteriza por la desprotección hacia estas personas, no solo afecta a la persona transexual y, por consiguiente, al grupo de transexuales, sino que es perjudicial para el funcionamiento de la sociedad.

Cohesión social

Por cohesión social se entiende el sistema de valores y normas compartido por los distintos grupos sociales, que se configura y modifica en el proceso participativo. Este indicador da cuenta de la cercanía o el distanciamiento existente entre las normas y valores compartidos entre los integrantes del grupo, y de ellos respecto a la sociedad, lo cual es muy importante para conocer, por un lado, la dinámica interna funcional de este grupo social cubano; y por otro, para identificar su percepción acerca de los vínculos en este sentido con otros grupos. El estudio develó algunas diferencias entre los sujetos de la muestra: las personas T (HaM) expresan los índices más negativos, así como las que oscilan entre los 30 y 39 años de edad, los cuentapropistas, los desocupados y las que no han sido sometidas a cirugías de reasignación sexual.

A partir de los datos empíricos obtenidos, puede afirmarse que la cohesión social es débil en este grupo, puesto que la mayor parte de los sujetos se percibe distante de las normas y valores asociados a la identidad de género en la sociedad cubana actual. Entre los elementos que afectan la cohesión social señalaron:

- Inconformidad con las normas y valores sociales, porque estas no se ajustan a las necesidades relacionadas con su identidad de género.
- Ser agredidos por sus familiares por no compartir los mismos puntos de vista en relación con la identidad de género asumida.
- La patologización de la transexualidad como creencia compartida por familiares, maestros, amistades, vecinos y dirigentes de instituciones, entre otros.

- Las ambivalencias del personal de salud que les trataba en edades tempranas, cuando las personas transexuales aún no habían sido operadas o atendidas por la Comisión Nacional de Atención Integral a Personas Transexuales.
- La incoherencia de los familiares al sujetarse, por una parte, a rígidas normas morales para cuestionarles y prohibirles la libre expresión de su identidad; y por otra, incitarlos y apoyarlos en sus prácticas de prostitución con el fin de obtener dinero para la casa.
- El irrespeto de profesores y compañeros de estudio hacia las motivaciones, necesidades y actitudes de las personas transexuales.
- Las burlas y maltratos recibidos en el ámbito escolar por su identidad de género u orientación sexual.
- Ruptura de sus puntos de vista con las normas y valores establecidos en el funcionamiento de las instituciones escolares.
- En los centros laborales son objeto de rechazo y de comentarios por mostrarse no acorde con el sexo biológicamente asignado.
- Irrespeto en los centros laborales a la identidad de género asumida por las transexuales no reasignadas.
- La generalidad de las personas transexuales se siente poco motivada por incorporar valores culturales que no se limiten al arte del transformismo.
- No compartir los valores del resto del grupo, al que catalogan de «chismoso» y «superficial», y manifestar además que lo único que las identifica son los temas de familia, cirugías de reasignación sexual y los aspectos estéticos.
- Considerar que los valores y normas establecidos en su Consejo Popular se contraponen a sus intereses personales y necesidades.
- Dificultades con las normas judiciales.

Algunas de estas ideas son expresadas por Yeya, T (MaH*):*

> No me relaciono mucho con personas transexuales; comparto en determinado momento en el CENESEX, pero fuera de aquí no. Nuestros principales temas de conversación son esa agonía de estar

> presa en un cuerpo que no es el de nosotros y vivencias. He perdido oportunidades de trabajo por causa de esto. Nosotras no tenemos vida por el acoso constante en que se vive, no todas tenemos las mismas oportunidades y nos sentimos muy solas cuando nos discriminan.

Las personas transexuales se ven obligadas a reproducir el modelo binario de género para poder integrarse «mejor» socialmente. Son forzadas por el conjunto de normas y valores socialmente establecidos a cohibir sus deseos en el afán de poder «encajar». Esto afecta directamente al grupo de personas transexuales y tiene sobre ellas implicaciones negativas en todos los órdenes, pero al mismo tiempo afecta a la sociedad en su conjunto, porque la sociedad cubana necesita de la participación de todos los grupos sociales para cumplir sus objetivos. La segregación de cualquier grupo social constituye una debilidad y repercute en la unidad de la sociedad como totalidad.

El proceso de construcción de la nueva sociedad en Cuba presupone la cohesión inter e intragrupal, lo que a su vez está condicionado por la relación de esos grupos con el sistema de normas y valores instituidos. El distanciamiento apreciable en esta investigación entre las personas transexuales y las normas y valores que rigen el funcionamiento de determinadas estructuras de la sociedad, habla de la existencia de cierto grado de segregación de este grupo social respecto del funcionamiento integral de la sociedad, lo que pudiera estar influyendo negativamente en la viabilidad de los proyectos colectivos.

La incidencia negativa de este proceso en la vida personal de las personas transexuales es un hecho constatado en el estudio. Esta situación tiene implicaciones sociales en general, pero sobre todo psicológicas para estas personas. Los sujetos entrevistados se refieren, por ejemplo, a cómo se les ha afectado la elaboración e implementación de proyectos de vida, individuales y colectivos, lo que constituye un asunto de gran relevancia personal y social, pues la transformación revolucionaria de la vida y la emancipación humana están condicionadas esencialmente por la realización en la práctica de la creatividad de los grupos e individuos. En otra dirección del análisis, ese proceso transformador produce e impulsa a su vez la interacción social y la participación a partir de valores compartidos, como la solidaridad, la criticidad propositiva y constructiva y la ética.

Para que estos mecanismos funcionen en la práctica social, los marcadores sociales de la cohesión en función de la creatividad revolucionaria deben sustentarse en una cultura de respeto a la diversidad; en el caso que nos ocupa, de respeto a la diversidad de identidades de género. Ello es necesario como vía para que las personas desde su diversidad se sientan también identificadas con sus raíces y las normas y valores de la nación y la cultura.

La sustentación en valores del proyecto de vida personal y social se complementa con el planteamiento de metas importantes en los diferentes ámbitos de la vida cotidiana y social, que es expresión de aspiraciones y expectativas en relación con los valores asumidos y su posibilidad de realización en una situación real (Linares y Mora, 2004, p. 114).

Decisoras y decisores opinan

Al abordar las percepciones de especialistas, decisoras y decisores, aparece un parteaguas de partida que tiene que ver con el conocimiento del tema.

En la mayoría de las respuestas del grupo de fiscales encuestados pudimos constatar que es limitado su conocimiento sobre la transexualidad, ya que lo consideran un tema que no reciben en su preparación de pregrado, y su profesión o responsabilidad laboral tampoco les permite contar con conocimientos para valorar la temática de la transexualidad. Esto último responde a que en el desempeño de sus funciones algunos no han adquirido suficientes conocimientos que les permitan valorar este asunto; aun cuando consideran que «toda persona tiene el derecho de elegir cómo quiere proyectar su personalidad y lo que desea expresar con ello», refieren que «este asunto tiene poco que ver con su contenido de trabajo y no es un tema que se evalúa en su quehacer diario».

Ello se evidencia en la variedad de las respuestas de personas decisoras cuando se refieren a lo que ellas consideran como transexualidad: «la relación sexual que tiene una persona ya sea hombre o mujer con otra de su propio sexo»; «sexo consciente contrario a la naturaleza humana»; «los homosexuales que están enfrascados en el cambio de sexo»; y «son las personas que a través de métodos científicos relacionados con la medicina, específicamente intervenciones quirúrgicas, cambian de sexo».

De igual modo, los encuestados de los niveles provincial y municipal no cuentan con los conocimientos necesarios para afrontar las situaciones referentes a la transexualidad desde sus instituciones, lo cual contribuye a los procesos de desintegración de las personas transexuales, ya que en la mayoría de los casos la desinformación no les permite brindar una adecuada atención.

De los decisores del MINED, 48.94% exponen que no cuentan con este tipo de conocimiento, lo cual se puede apreciar explícitamente en todas las respuestas sobre el concepto de transexualidad.

Sobre todo a nivel municipal, podemos apreciar el desconocimiento de los funcionarios de educación sobre este asunto y las resistencias que ofrecen para afrontarlo. Las respuestas están permeadas por prejuicios y estereotipos machistas y discriminatorios. Uno de los ejemplos más evidentes lo aporta una funcionaria que no considera necesario para el proyecto emancipador de la Revolución Cubana la integración social de las personas transexuales:

> Para el desarrollo de la sociedad cubana entiendo que no es necesario tratar el tema o verlo de manera normal, aunque sí acepte su respeto como seres humanos. ¿Qué le enseñamos a las nuevas generaciones? Entonces nace una sociedad enferma y desviada.

Por su parte, las compañeras de la FMC nacional se encuentran más familiarizadas con el tema, porque sus profesiones y responsabilidades laborales les permiten contar con conocimientos para valorar la problemática de la transexualidad. Desde la FMC se realizan trabajos comunitarios con el fin de crear concienciación en las comunidades y sensibilizarlas con esta temática. Se atienden y orientan a todas las personas que acuden a sus dependencias buscando satisfacer sus preocupaciones y demandas, y se realiza un trabajo con las familias brindándoles herramientas para afrontar los conflictos y problemas que padecen en relación con el objeto de investigación.

De igual forma, la mayoría de los integrantes del Grupo Operativo para el Enfrentamiento y la Lucha contra el Sida (GOPELS) (66.67%) cuentan con este tipo de conocimientos y lo explican porque:

> Hemos participado en diferentes capacitaciones organizadas por el CENESEX y el Proyecto HSH Cuba sobre el tratamiento del tema y cómo debe ser abordado en la prevención, la atención, el apoyo de la epidemia VIH/sida, la sexualidad en general y sobre todo la eliminación de los estereotipos, el estigma y la discriminación.

Resulta de vital importancia que las personas se apropien de conocimientos en el campo de la sexualidad y los derechos sexuales, que les permitan, tanto en el plano profesional como personal, poder realizar una valoración sobre el tema y proyectarse de acuerdo con el respeto a la libre y responsable orientación sexual e identidad de género. Ello se articula también con la necesidad de crear en la población una cultura científica y de incluir la transversalización de género en las estrategias de desarrollo local-comunitario.

Por su parte, la mayoría de las respuestas referentes a cómo se trabaja el tema de la transexualidad en la institución que representan, exponen que esta no es una temática que se inserta como contenido de trabajo o como parte de las funciones que deben desempeñar. Uno de los representantes de la Fiscalía nos expresa: «Es de poco análisis y debate; solo se produce cuando nos consultan aspectos relacionados con temas legales que guardan relación con el tema». Otros refieren que desconocen el tema o que lo conocen únicamente a manera de información general o de «manera muy general y solo aspectos que pueden tener incidencia legal como en qué celda de una unidad de la PNR debe ingresar, de resultar detenido, el hombre con apariencia de mujer». La totalidad de la muestra de los decisores políticos expresa que no se conoce del tema por no ser un principio u objetivo de la institución en que trabajan; solo se conoce el asunto como parte de la atención a la población o porque por curiosidad se han informado sobre la temática, pero sin guardar relación con sus responsabilidades laborales.

El desconocimiento de la población sobre la transexualidad en muchas ocasiones acarrea prácticas sociales discriminatorias hacia las personas transexuales; trato diferente, rechazo, indiferencia, discriminación y vulneración de sus derechos son algunas de las consideraciones de los fiscales encuestados. Del total de respuestas de la Fiscalía General de la República, 53.53 % consideran que en Cuba prevalecen estas prácticas discriminatorias, que juegan un papel crucial en su exclusión, citando como ejemplo que no se concibe a una persona transexual en un cargo de dirección en una empresa o en una organización política y de masas. Por su parte, 23.53 % manifiestan una actitud contraria al considerar que en Cuba no existen prácticas sociales discriminatorias, sino condenas a conductas egocéntricas, *antiéticas* o *amorales*.

El contenido de los roles y prácticas sociales que asumen hombres y mujeres en su hacer cotidiano, está mediatizado por pautas culturales internalizadas en los distintos grupos sociales. En este mismo sentido, 71.43 % de los encuestados en la FMC nacional, 66.67 % del GOPELS, 44.44 % de los delegados de la Asamblea Municipal del Poder Popular de Plaza de la Revolución y 64.5 % de los jueces del Tribunal Supremo Popular consideran que en Cuba prevalecen prácticas sociales discriminatorias hacia las personas transexuales, como el rechazo y las burlas, sobre todo en el sistema educacional, en los servicios de salud, en las comunidades y en los centros laborales.

Un informe, elaborado por especialistas del CENESEX, ha constatado situaciones que dificultan el proceso de integración social:

> ... precariedad en las condiciones de vida, limitado contacto con sus familias de origen, seguimiento excesivo por las autoridades policiales de los territorios donde habitaban (jefes de sectores), conducción a estaciones policiales desde lugares públicos frecuentados por turistas, conflictos frecuentes en los espacios públicos en respuesta a agresiones verbales, y medidas disciplinarias en centros de estudios para adultos que incluían expulsión por «no cumplimiento» del reglamento en el vestir o la no correspondencia de este con su sexo en el carnet de identidad ... (Alfonso y Rodríguez, 2014)

Referente a las situaciones que los decisores políticos encuestados consideraron que ocurren en los centros laborales de las personas transexuales, se evidencia que el trato diferente, los comentarios peyorativos, la indiferencia y el considerarlos como un problema social, son las situaciones principales que forman parte del abanico de discriminaciones al que son sometidas las personas transexuales.

A pesar de estas conductas que prevalecen en la sociedad cubana actual, 85.88 % de los fiscales encuestados creen importante para el proyecto emancipador de la Revolución Cubana la integración social de las personas transexuales. Ello ocurre también con la mayoría de las personas encuestadas, pues 79.18% consideran que es importante para el proyecto social cubano la integración social de estas personas, lo que brinda información respecto a que, a pesar de las creencias, estereotipos y concepciones machistas y discriminatorias que se asumen en nuestra vida cotidiana, tanto hombres como mujeres pueden modificar sus creencias y abrir espacios de participación para quienes rompen con estos patrones del binarismo hegemónico y opresor. Ello también expresa la potencialidad para el trabajo de las instituciones con adecuado enfoque acerca de la identidad de género.

Sin embargo, en el discurso de los decisores también se aprecia una contradicción: no obstante valorar como positiva la integración de las personas transexuales, consideran que la vía para lograrlo es que estas personas tengan sus espacios de convivencia propios, apartados y diferenciados de los espacios para personas con identidad heterosexual y masculina-femenina. Solo 5.88% de estos decisores (fiscales), consideran que las personas transexuales deberían compartir los mismos espacios de convivencia con otros grupos. Aquí se evidencia claramente que la mayor parte de los fiscales encuestados sostiene una posición segmentadora. Esta posición la sostienen 32.35% del total de los decisores encuestados.

Por su parte, al preguntarles a los decisores si consideraban que las personas transexuales participan en la formulación de propuestas de normas jurídicas relacionadas con sus derechos, 15.24% responden que sí participan; 9.88% que no participan; y 49.23% no tienen conocimiento al respecto.

En este mismo sentido, al indagar si los derechos sexuales en Cuba les permiten a las personas transexuales iguales oportunidades y resultados que a otras personas, 30.23% de los decisores políticos encuestados responden que sí y 17.57% expresan lo contrario.

Los derechos sexuales les permiten a las personas el disfrute pleno de su sexualidad en cualquier ámbito de la vida social, incluso la posibilidad de expresar su identidad de género como la han construido. Estos derechos resultan vulnerados con frecuencia, debido sobre todo a las construcciones sociales que refuerzan el binarismo de género y la heteronormatividad. Las personas transexuales experimentan estas vulneraciones en todos los ámbitos de su vida, considerándose uno de los más visibles el ámbito laboral (Vázquez, 2014).

En la Cuba actual resultan muy limitadas las garantías de los derechos sexuales vinculados a asegurarles a las personas el libre desarrollo de sus orientaciones sexuales e identidades de género, lo que, según Vázquez (2014):

> ... genera un débil diseño de las garantías jurisdiccionales que aseguren la vía procesal para la actuación ante vulneración, o las instituciones ante las cuales reclamar la vulneración o las condiciones materiales que aseguren el pleno disfrute y ejercicio de tales derechos humanos.

La muestra de decisores políticos seleccionados coincidió en su mayoría que los ámbitos de la sociedad cubana en los que las personas transexuales tienen un mayor nivel de participación son la familia, la cultura y los grupos informales. Por su parte, los ámbitos en que reconocen menos participación son el deporte, las organizaciones de masas y las organizaciones políticas.

Variadas fueron las respuestas de los decisores sobre los mecanismos que ellos consideraban que se deberían implementar para facilitar la integración social de las personas transexuales. Estos van encaminados en su mayoría a la necesidad del cambio en la mentalidad de la población cubana, ya que, según ellos, es la sociedad la que los margina, por lo que de nada vale establecer mecanismos si la sociedad no los asume. Esto quedó expresado en ideas como «el sistema político-social a mi modo de ver no debe implementar mecanismos», «la población es la que debe reconocer y acoger con normal conducta a los transexuales», «es un derecho que tiene cada persona, es una forma de expresar el derecho a la libertad que está debidamente reconocido en la norma cubana».

Otra posición respecto a este tema consiste en el reconocimiento de que los mecanismos existen y que la integración social la deben alcanzar estas personas en la medida en que sean capaces de ganar el respeto de los demás y de demostrar que son personas capaces de andar por las calles sin exageraciones, sin ser el centro de atención, como seres humanos con orientación sexual diferente, pero con costumbres y valores morales. Al respecto se plantearon ideas como:

> Los individuos que deciden la transexualidad buscando el derecho a la felicidad, deben primero respetarse como seres sociales que son; no excluirse pero no sobrepasar con actos inadecuados los límites de la ética y el comportamiento público.

Al referirse a los cambios que considera que deben ocurrir en la sociedad cubana para que se logre una mayor integración social de las personas transexuales, uno de los encuestados expone:

> Ninguno. Todos somos parte de esta sociedad y como mismo a través de los años se fue emancipando la mujer que siglos atrás era discriminada, así pueden ir ocupando los transexuales un lugar importante, pero eso ocurrirá en la medida que ellos mismos dejen de considerarse diferentes y sean capaces de actuar como un cubano más, como un obrero más, como ser humano independiente de su orientación sexual. La mujer ganó el reconocimiento siendo capaz de brillar tanto en una fiesta, en un teatro, como en el cañaveral cortando cañas; así deben integrarse a nuestro proyecto social los transexuales.

La legalización del matrimonio, la división de la comunidad matrimonial de bienes con iguales derechos y garantía ante un reconocimiento de unión matrimonial no formalizada, afloran como mecanismos que los encuestados consideran que se deben implementar en la sociedad cubana. Se hace un llamado también a modificar el Código Civil y de Familia y a reconocerlo en la Constitución. Se refieren también otros mecanismos, como lograr la vinculación de las personas transexuales al estudio y el trabajo, sensibilizar a la población sobre el tema mediante un trabajo sistemático a través de medios informativos y crear proyectos de cambio en el ordenamiento jurídico cubano.

Las llamadas masculinidades y feminidades emergentes y marginadas expresan nuevas formas de identidades, así como diversos patrones de comportamientos y actitudes en relación con estas. Aprender a respetar estos modelos que se contraponen (según las concepciones de la sociedad patriarcal) al modelo hegemónico de masculinidad y feminidad, conduce a una serie de cambios encaminados a eliminar estos índices de discriminación, exclusión y segregación.

A partir de los elementos planteados podemos concluir que, entre los principales cambios que deben ocurrir según los encuestados, se encuentran:

- proponer el reconocimiento de los derechos de las personas transexuales en las normas jurídicas, sobre todo en la legislación familiar;
- aumentar el nivel de información de la población sobre la transexualidad, enfocándola no solo desde la sexualidad, sino también teniendo en cuenta factores sociales, políticos y culturales;
- no imponer el tema a sectores de la población que no deseen aceptarlo;
- modificar el Código de Familia y el Código Civil sobre la base del respeto a los derechos sexuales;
- cambiar los patrones, creencias, estereotipos y actitudes machistas propios de los modelos hegemónicos de masculinidad y feminidad.

El análisis de elementos que ponen a debate cuestiones relativas al indicador Cohesión Social, se articula indiscutiblemente con la Participación como elemento básico de este proceso de integración social. En cuanto a la participación de las personas transexuales en el proceso de toma de decisiones de la sociedad cubana actual, 20.73 % de los decisores encuestados responden que ellas participan activamente; 51.22 %, que tienen poca participación; y 15.61 %, que no participan.

El ciento por ciento de los encuestados de la FMC nacional y de GOPELS también consideran que las normas y valores compartidos por la sociedad estigmatizan a las personas transexuales, ya que a pesar de la labor que se ha venido realizando hace algunos años, todavía la población cubana las discrimina sobre todo *por falta de conocimientos*. Así ocurre también con las demás instituciones encuestadas, que refieren que ello se debe a la prevalencia de la cultura machista en la sociedad cubana, así como al tratamiento machista en las normas jurídicas que no particularizan el respeto a los derechos sexuales para lograr la igualdad e impedir cualquier tipo de discriminación.

De igual manera se expresa que, aunque se han dado pasos y existe mayor aceptación de la diversidad, lo tradicional se impone, y que las normas se erigen sobre valores sociales e institucionales relacionados con el binarismo de género y el binomio sexo-género.

En ello juega un papel imprescindible la preparación en los centros escolares, en las comunidades y sobre todo en los medios de comunicación de masas que se consolidan como transmisores de normas y valores, sobre todo los que responden a los modelos hegemónicos de masculinidad y feminidad. Si bien algunos de los fiscales encuestados exponen la necesidad de tratar el tema en los medios de comunicación para dar a conocer a la población qué es la transexualidad y las diferencias entre homosexualidad y transexualidad, así como sensibilizar a la población, en la mayoría de las respuestas de los demás profesionales encuestados se evidencia la creencia de que no se debe exaltar demasiado el tema, que no hay necesidad de resaltar esa preferencia sexual y que se debe tener cuidado con los horarios en que se visualiza esta temática. He aquí un ejemplo:

> No exagerar. No creo que sea necesario que en todos los programas dramatizados tenga que imponerse el tema. Los que hasta hoy lo han hecho, merecen reconocer la manera en que los presentan, más humanos, nobles y sencillos que cualquier otro ciudadano. La vida real no es tan así.

Condiciones sociales que favorecen u obstaculizan la integración social de las personas transexuales en el contexto actual de la sociedad cubana

A partir del procesamiento de la información obtenida, se ofrece a continuación una valoración acerca de las condiciones que favorecen u obstaculizan la integración social de las personas transexuales en Cuba, tomando como referencia los ámbitos previamente seleccionados.

Familias

De las personas transexuales que integran la muestra, la mayoría refiere problemas en las familias de origen a las que pertenecían. Muchas no contaron con el apoyo de su familia a lo largo de su vida, y las que apuntan haberlo tenido expresan que la situación cambió tras haber comenzado a asistir a las consultas en el CENESEX, haber sido diagnosticadas/os como transexuales o haberse readecuado genitalmente por medio de la cirugía.

Entre los elementos más significativos asociados a la familia en los primeros años de la infancia, muchas de las personas transexuales, según indican las autobiografías recogidas en los expedientes y las historias relatadas en algunas de las entrevistas, sentían un rechazo por sus genitales desde temprana edad. Algunos niños/as deseaban vestirse con la ropa no correspondiente al sexo asignado al nacer y llegaban a tener episodios agresivos como desgarrarse la ropa que le ponían sus padres o madres. Asimismo, se ocultaban para vestirse de mujer con las prendas de las madres e imitaban sus actividades. Esto se ve reflejado en los juegos que desempeñaban: el rol de mamá, de bailarina, de princesa, por solo mencionar algunos. Estas conductas eran, en su mayoría, reprimidas por los padres, que llegaban hasta golpear a los niños por comportarse de manera «afeminada» y no corresponder con los patrones socialmente establecidos, asociados a lo masculino y lo femenino. Muchos fueron agredidos en algún momento de su vida por parte de algún miembro de su familia.

Las agresiones físicas, verbales y psicológicas provenían, en lo fundamental, de los padres, quienes exigían con severidad: «habla fuerte», «párate bien», «así no camina un hombre», «no gesticules». Cuando los padres los encontraban vestidos de mujer o tocándose los genitales, eran reprimidos violentamente con insultos y golpes. De igual modo, muchos fueron forzados en su temprana infancia a realizar los juegos establecidos para niños. Se hace aquí un análisis de las personas transexuales de hombre a mujer, porque en los dos casos de persona transexual de mujer a hombre estas manifestaciones no ocurrían, ya que ambos vivían en zonas rurales y alegan que no existía una diferencia marcada entre ellos y sus hermanos a la hora de jugar, pues todo lo hacían juntos y no se distinguía quién hacía de hombre y quién de mujer, porque tampoco había una diferencia en el vestir (usaban ropa unisex). Volviendo sobre el tema de las imposiciones familiares, se conoció que uno de los casos padeció problemas de tartamudez en la adolescencia por haber sido obligado a hablar más grueso. También sucedía que los niños tenían serios problemas de socialización, que luego se vieron reflejados en la escuela y en su interacción con otras personas. En su mayoría, los padres se distanciaban emocionalmente de sus hijos desde el momento en que comenzaban a detectar alguna manifestación fuera de lo común.

Con las madres la relación era diferente. Se recoge en los documentos que muchas de las personas de la muestra se sintieron apoyadas por ellas desde el momento en que comenzaron a desarrollarse los episodios antes relatados. En tres casos se observa que las propias madres deseaban haber tenido hijas, y en uno de estos el niño (sexo biológico) fue criado como tal. Esta contradicción entre la conducta de madres y padres trajo como consecuencia que, en cuatro de los casos, la pareja se disolviera, y a partir de ahí existiera un distanciamiento del padre.

La mayoría de los casos en estudio fueron llevados a psiquiatras y psicólogos desde la temprana infancia. La familia acudía a profesionales en busca de explicaciones para la conducta de sus hijos/as y recibían respuestas en dos direcciones, según el estudio de los expedientes: a un grupo se le orientó que pusieran a los niños a realizar juegos y tareas con los padres para que se familiarizaran con el rol masculino, sobre la base de la idea de que era una fase pasajera que debía «bien orientarse»; las otras medidas estuvieron en dirección a apoyar al niño y aceptarlo «tal y como era». Es sumamente importante señalar que uno de los casos en estudio, al ser llevado a atenderse con un psicólogo, fue víctima de abuso sexual por parte de este durante el tiempo en que se estuvo atendiendo con él, lo que manifiesta otro tipo de violencia además del que provenía de vecinos y familiares allegados. Un factor que se repite en todos los casos, es el hecho de no haber tenido en su etapa escolar un diagnóstico preciso por parte de los profesionales de la salud y algunos de ellos fueron tratados con hormonas que, según alegan, «les hacían sentir mal».

Aquí podemos evidenciar no solo la falta de preparación de las familias y la inexistencia de recursos y herramientas familiares para afrontar estos conflictos, sino también la falta de preparación de muchos profesionales de diferentes especialidades.

En la pubertad, el rechazo hacia los genitales aumentó por los hechos biológicos asociados a este momento de la vida, como la salida del vello facial, la eyacularquia y la menarquía. Estos adolescentes querían evitar los cambios que ocurrían en su cuerpo, que les confirmaban la contradicción que vivían entre su cuerpo sexuado y su identidad de género en elaboración; uno de los casos llegó al punto de castrarse. Las manifestaciones de travestismo presentes desde la infancia comienzan a hacerse más públicas y permanentes dando al traste con problemas de adaptación en el seno familiar, en la comunidad y en la escuela. Se mantienen los episodios violentos antes referidos, que se vuelven más fuertes con el paso del tiempo. Algunos apuntaron que no contaron con el respaldo económico de sus familiares y muchos de ellos fueron expulsados de la casa a temprana edad por travestirse. Esta situación derivó en que se vieran forzados a ejercer la prostitución en muchos casos, como único medio para subsistir y poder dar cobertura a sus necesidades básicas. Entre aquellos que tuvieron el respaldo económico de su familia y por ello se quedaron viviendo en sus casas natales, varios señalaron que su intimidad dentro del hogar no fue o no es respetada en la actualidad.

Con el arribo de la adolescencia y los primeros años de juventud, comienza a aparecer la necesidad más sólida de plantear opiniones y demandas por parte de las personas objeto de investigación; pero varias narran que no tenían esta oportunidad en sus familias de origen, pues eran silenciadas y se aludía a su condición de travestis para desmoralizarlas y privarlas del derecho a ejercer su opinión. No podían hacer cambios en el hogar o tomar decisiones importantes que les implicaran. Muchas dijeron que podían expresar sus demandas, necesidades y puntos de vista; pero según la información recogida con las entrevistas y el análisis de los documentos, ello sucedía en muchos de los casos a partir de que eran diagnosticadas como transexuales en la adultez, readecuadas genitalmente o cuando empezaban a aportar económicamente a los fondos del hogar. Una de las personas objeto de investigación dice que sus padres le hablaban cuando necesitaban dinero para la casa y que, por consiguiente, apoyaban que se prostituyera, ya que contribuía al beneficio económico del hogar.

Con respecto al control ejercido por los miembros de la muestra en el seno familiar en relación con las propuestas que eran capaces de hacer, según el balance de los expedientes solo dos personas apuntan haber tenido dificultades en este sentido; una de ellas también presentó dificultades con respecto a los valores familiares. Continuando el análisis del ámbito familiar, se puede decir que el subindicador Valores (perteneciente al índice Cohesión Social), es el segundo más representado, obteniéndose que 6 de las personas que integran la muestra entraron en contradicción con el conjunto de valores familiares propios de las familias de origen a las que pertenecían. Los valores familiares están asociados a las conductas esperadas por parte de los familiares en correspondencia con el sexo biológico, y ya se ha referido anteriormente cómo fue la situación en los distintos momentos de la vida. En la actualidad muchos son llamados por sus padres y familiares por el nombre asignado en concordancia con sus genitales. Tras este análisis se puede determinar que, en el ámbito Familia, las personas de la muestra presentan una mayor dificultad en el indicador Participación, y el índice correspondiente a Exclusión se eleva a 43.33 %.

Las familias constituyen el primer espacio de socialización y en estas puede observarse primero el rompimiento que hacen las personas transexuales con las normas tradicionales de género. Debía ser este el ámbito en que primero ocurrieran los procesos de apoyo y de orientación a las personas que desarrollan una identidad de género que no se corresponde con el asignado al nacer. Sin embargo, ocurre todo lo contrario. Los familiares asumen una posición agresiva, de rechazo y violencia contra ellas, que las marca psicológicamente para toda su vida e influye en que se dificulte el recorrido armónico que debía tener su proceso de socialización.

La investigación revela la importancia y significación que le atribuyen las personas transexuales al apoyo familiar para romper el ciclo de exclusiones a que son sometidas; por lo tanto, resulta necesario desarrollar políticas centradas en la preparación de las familias para estos acontecimientos. No obstante el trabajo de educación sexual realizado durante años y sus logros, nuestra sociedad aún no ha alcanzado los objetivos que se propone.

La escuela

En el ámbito escolar 19 personas manifestaron dificultades en su adaptación por diversos motivos que se comentan a continuación.

El indicador Justicia Social fue el que tuvo una mayor repercusión negativa en relación con los subindicadores Acceso a Oportunidades y Resultados; el subindicador Resultados tiene una presencia más negativa (11 personas con dificultades).

En Acceso a Oportunidades, las principales contradicciones se encuentran en el hecho de que las personas objeto de investigación se sentían «incómodas» usando los uniformes asignados según su sexo genital, uno de los motivos por los cuales tenían problemas en las escuelas. Muchas de las personas objeto de estudio experimentaron rechazo por parte de sus compañeros y profesores. Estas manifestaciones se dieron en eventos como no ser invitados a los cumpleaños de sus compañeros, a quienes se les prohibía jugar con estos niños a causa de sus «conductas amaneradas», por lo que eran excluidos de otras actividades escolares y extraescolares. Asimismo, muchos fueron víctimas de violencia física, verbal y psicológica por parte de profesores y compañeros. A uno de los casos un profesor lo encerró en una habitación, lo obligó a desnudarse y fue agredido con un fuete; a otro se le obligó a quitarse la camisa en el baño con los varones presentes, al margen de que este no quería hacerlo por sentir vergüenza de su cuerpo. Otro ejemplo en el que se expresan estas agresiones, es el de un buen estudiante que ameritaba la condición de Jefe de Estrellas, pero el director de la escuela le dijo a los otros profesores que «ustedes saben que él no puede ser Jefe de Estrellas», negándole la oportunidad.

Muchos alegaron que el grupo estudiantil no respetaba su identidad de género, pues eran objeto de burlas y maltratos, como se ha dicho antes, refiriéndose a ellos como «mariquitas» o «mira la pájara esa». La mayoría de ellos eran buenos estudiantes y por estas situaciones no pudieron continuar estudios por miedo al rechazo en otros niveles de enseñanza y, en algunas situaciones, por prohibiciones en los centros estudiantiles. Por consiguiente, 15 personas transexuales no pudieron estudiar la profesión que deseaban, aunque poseían el promedio y las condiciones requeridas. Uno de los casos era el primer expediente de su curso que optó por la carrera de Lengua Inglesa; al dirigirse a la Facultad de Lenguas Extranjeras para realizar su examen de aptitud, se le dijo que padecía de disfonía y que por esta causa no podía matricular. Al año siguiente optó y obtuvo la carrera de Licenciatura en Farmacia y Alimentos, y al hacer la matrícula se le dijo que había un problema con su nombre y que no podía matricular, negándosele así la oportunidad de acceso a la superación. Asimismo, en otro ejemplo se reflejan estas manifestaciones de exclusión que forzaron el abandono escolar de una persona que estudiaba segundo año de Arquitectura: por no permitírsele ir vestida de mujer a la Universidad, fue víctima de ensañamiento por parte de una profesora que la humillaba a la hora de pasar la lista en el grupo, diciendo su nombre de hombre aunque sabía cuánto le molestaba. Todos estos ejemplos, situados a partir de las experiencias comentadas por las personas transexuales que participaron en la investigación, demuestran el elevado índice de Exclusión con respecto al Acceso a Oportunidades y Resultados en el ámbito escolar.

Al margen de lo anteriormente dicho, hay que señalar que muchas de las personas objeto de estudio mantuvieron su deseo de superarse en relación con la escolaridad y matricularon cursos una vez incorporadas al CENESEX o al haber sido operadas. En la infancia algunos se imponían ante las burlas y buscaban mecanismos de adaptación, como crear círculos de amistades afines.

Otro momento decisivo en la vida de estas personas asociado al ámbito escolar es el de la incorporación al Servicio Militar Obligatorio. A muchas de ellas se les negó la posibilidad de asistir, y los que lo lograron eran objeto de burla y agresión por parte de cadetes y oficiales. A uno de los casos un oficial le dijo que «el servicio militar no era para maricones». Otro caso refiere que se destacaba como tanquista, mérito que consiguió ocultando su verdadera identidad de género. Asimismo, hubo individuos que se refirieron al momento de desear ingresar en las filas de la Unión de Jóvenes Comunistas: tenían las condiciones requeridas; sin embargo, se les privó de ese derecho.

Con respecto al indicador Participación, se puede decir que los principales problemas estuvieron asociados a las demandas y a su ejecución. Con el indicador Cohesión Social, casi la mitad de la muestra de personas transexuales presentó problemas con las normas, mientras que otra parte similar, con los valores establecidos en las instituciones escolares. Por lo anteriormente expuesto se puede decir que el índice más elevado en el ámbito escolar es el de Exclusión Social.

Resulta evidente que lo que acontece en el ámbito escolar de las personas transexuales es resultado de la vulneración y discriminación que se produce, y no de forma aislada o casual. Estos malestares y resultados en términos de abandono o desinterés escolar dejan su impronta en futuros procesos de desinstitucionalización, dificultades para el acceso al empleo y el desarrollo de relaciones sociales adecuadas.

A través del estudio realizado, se aprecian experiencias relacionadas con la desvinculación del estudio. En el caso de las personas transexuales cubanas ocurre fundamentalmente después de terminado el preuniversitario, a diferencia de otros países donde este proceso es más temprano. Las exigencias educacionales forman parte del sistema de expectativas y normas sociales de nuestro país, y en ello ha jugado un papel importante la aplicación del Programa Nacional de Educación Sexual en las escuelas. Sin embargo, las dificultades en la preparación del personal educativo en los temas de género, sexualidad y derechos sexuales, constituye caldo de cultivo para el proceso de desintegración social de las personas transexuales.

Ámbito laboral

En el ámbito laboral, según la revisión de los expedientes, 14 personas tuvieron dificultades para su integración social. Este ámbito hay que verlo en estrecha relación con el anterior, pues, al no poder finalizar los estudios, han tenido que buscar otras alternativas de empleo que les permitan un sustento económico, aunque en muchas de estas no se sienten realizadas. Como se dijo al inicio de este informe, la mayoría trabaja y más de un tercio se desempeña en el sector cuentapropista. Con respecto al acceso a oportunidades laborales, con frecuencia declaran que no las tuvieron por diversos motivos asociados a la forma de vestir, el respeto a la identidad de género, las situaciones con el carné de identidad (por no tener hecho aún el cambio de nombre y sexo en el mismo) y entrar en contradicción con la imagen que proyectan. Uno de los casos comenta que perdió una buena oportunidad de trabajo por no tener título académico que avalara sus conocimientos, a causa de dificultades relacionadas con la contradicción antes referida. Otra de las entrevistadas comentó:

> Mi papá me clausuró el piano y no pude ser una buena pianista. Lo estudié particular, pero no tengo título del conservatorio que avale mis estudios. Debido a esto se me han cerrado muchas puertas en el plano laboral. Me gustaba mucho tocar el piano, y en la infancia mi padre lo clavó para que no pudiera hacerlo, por considerarlo una actividad de mujeres. Trabajo en el Palacio [de los matrimonios] como pianista; me aceptaron siempre porque al principio iba vestida de hombre y eso resultaba ser más escándalo; entonces la directora me dijo que me vistiera de mujer. Estoy trabajando en lo que me gusta.

Los que tienen vínculo laboral actualmente, expresan que no siempre mantienen buenas relaciones con sus compañeros de trabajo, por las manifestaciones de rechazo, discriminación y exclusión en algunas actividades convocadas por el centro laboral, por ser objeto de comentarios y señalamientos respecto a su apariencia y la no correspondencia de esta con su sexo genital. Sin embargo, la mayoría participa en las actividades convocadas a pesar de los deseos de exclusión por parte del colectivo laboral. Aunque generalmente las personas objeto de investigación no asumen posiciones protagónicas a la hora de proponer decisiones, prefieren integrarse a lo que el colectivo determine como apropiadas, en función del problema que se aborde.

En relación con el contacto con los superiores, se obtiene que en muchos casos existieron dificultades asociadas al deseo de despedirles del trabajo por la forma de vestir, al margen de su eficiencia laboral y su buen desempeño profesional. Las dimensiones del rechazo en el ámbito laboral van desde las agresiones verbales hasta encuentros violentos entre el individuo y sus jefes. Uno de los casos apunta que nunca se incorporó a trabajar en el sector estatal para evitar que le pidieran el carné, lo que denota la autoexclusión como resultado del miedo a ser descubiertos y rechazados. Antonio, T (MaH) expresó al respecto: «El carné de identidad es nuestro peor enemigo».

Lo anteriormente mencionado tiene una relación directa con las normas y valores de los centros laborales y cómo estos entran en contradicción con los intereses personales de los individuos en cuestión.

El indicador más elevado en este ámbito es el de Cohesión Social, pues la inmensa mayoría expresó disconformidad con los valores y las normas. Las mayores dificultades se relacionan con las normas por las cuestiones referidas al vestir en los centros de trabajo, que tiene que estar en correspondencia con el sexo que aparece en el carné de identidad; al entrar en contradicción con la proyección de imagen, causan problemas en los centros laborales. El índice más elevado respecto a este ámbito es el de Segmentación Social.

Los aspectos de desintegración social de las personas transexuales presentes en el ámbito laboral tienen como antecedentes el proceso de exclusión, discriminación y segmentación a que son sometidas estas personas en etapas previas de la vida, especialmente por parte de sus familias y de los entornos escolares. Estas situaciones ponen a las personas transexuales en desventaja respecto al resto de la población.

Si a la falta de preparación con que llegan estas personas a la edad laboral, se añade la estigmatización, el acoso, los despidos abusivos y solapados a que son sometidas en los centros de trabajo por la incomprensión y no aceptación de su identidad de género, el resultado es la búsqueda por parte de estas personas de opciones que no siempre son lícitas o que contribuyan a su dignificación y emancipación. En el caso del estudio realizado, una parte considerable de la muestra sostuvo o mantiene prácticas de prostitución.

Cultura

El ámbito Cultura no ha tenido una visibilidad significativa en la investigación, pues el acercamiento a la cultura más común entre las personas transexuales objeto de estudio ha sido a través de los espectáculos de transformismo a los que se han incorporado y en los que se han destacado por su activa participación. En la infancia, algunas de estas personas alegan que en las escuelas deseaban participar en actividades culturales y, en algunos casos, las normas de la escuela se los prohibían por no permitir que los varones intervinieran en actividades «para niñas», como el canto y la danza. Una de las entrevistadas mencionó que en los momentos de Educación Física se enseñaban tablas coreográficas en la escuela y no podía participar porque, al ser «varón», estaba obligado a integrarse a otras actividades deportivas y no a las culturales. Rafi, T (HaM) comentó: «Nunca participé en ningún baile, porque sabía que no me iban a aceptar. No me dejaban ir vestida de mujer, me excluían. Quería aprender y no podía».

De igual forma se puso de manifiesto que las personas transexuales no han sido impactadas por políticas sociales que favorezcan su integración apropiada a la esfera cultural, como se evidencia en los ejemplos antes referidos. Esto expresa que las instituciones culturales y sobre todo las recreativas no han sido capaces de integrar con un enfoque cultural amplio a las personas transexuales, lo que ha contribuido a la segmentación de las mismas, ya que les brindan con más facilidad acceso a espectáculos de transformismo, quedando relegadas otras posibles aptitudes que crearían diversas oportunidades. Es también evidente la insuficiente disposición de estas personas a buscar otras formas de desarrollo cultural, lo que posiblemente esté motivado por la excesiva estandarización y desconocimiento que poseen respecto al consumo cultural.

Salud

Los resultados obtenidos en este ámbito fueron en su mayoría favorables y no arrojan presencia de una elevada discriminación de las personas transexuales por parte del personal de salud. La totalidad de los sujetos señala que se sienten partícipes del cuidado de su salud y mayoritariamente refieren que toman las principales decisiones respecto a este tema. Entre las personas que se incluyen a la hora de tomar decisiones, figuran sus padres y sus parejas.

Aseguran que el sistema de salud cubano le ha dado respuestas a sus principales problemas, y solo algunas entrevistadas dicen lo contrario, provocado por el hecho de no haber accedido aún a la cirugía de adecuación genital y a la de feminización. Asimismo, dicen que su identidad de género se respeta en las instituciones de salud y, como norma, no se han sentido afectadas por el conjunto de normas y valores establecidos en el sistema de salud.

Es importante aclarar que el positivo discurso de las personas transexuales respecto a los servicios de salud está muy permeado por las experiencias vinculadas al último período de sus vidas, en el que han sido reconocidas, aceptadas y atendidas por la Comisión Nacional de Atención Integral a Personas Transexuales y por los especialistas del CENESEX. Esta situación las ha impactado tan favorablemente que ha influido en su mirada crítica respecto al pasado vínculo con el personal de salud en las unidades de servicios más cercanas a sus lugares de residencia, sobre quienes también refirieron algunas quejas cuando contaban que, al ser llevadas al médico por su familia, estos profesionales no siempre orientaban correctamente.

La percepción de las personas transexuales sobre la salud pública como ámbito de integración social está condicionada por los logros históricos en esta área del desarrollo social alcanzado en el país. Sin embargo, reflexiones realizadas en el marco del perfeccionamiento del Programa Nacional de Educación y Salud Sexual permiten afirmar que es necesario fortalecer los servicios de salud relacionados con las personas de la diversidad sexual, pues todavía existen prejuicios en el personal de salud, expresados en acciones y comentarios respecto a la orientación sexual e identidad de género de los pacientes, lo que en ocasiones se materializa en una atención médica no satisfactoria, limitados servicios especializados de salud sexual en las diferentes localidades del país y dificultades con la infraestructura para el desarrollo de los mismos, entre otros. En general, la política de salud, como otras, sigue reproduciendo el enfoque heteronormativo y el binarismo de género, lo que exige el desarrollo de acciones afirmativas en áreas como capacitación, sensibilización y capacidad técnica.

Grupo de personas transexuales

Un tercio de las personas transexuales que forman parte de la muestra han expresado opiniones desfavorables respecto a las integrantes del grupo TransCuba de las redes sociales comunitarias del CENESEX, lo que está asociado al indicador Cohesión Social, al expresar que las normas y valores del grupo no se corresponden con las suyas. La mayoría considera que se sienten en igualdad de condiciones dentro del grupo, pero a la vez plantean que algunas de sus integrantes son «muy chismosas» y «superficiales» y que los temas que las unen se encuentran vinculados a la familia, las cirugías y los aspectos estéticos. Llegan a decir que son personas «sucias y desagradecidas». Del mismo modo, en varios casos figura la propuesta de que se separen a las personas transexuales de las travestis y transformistas, alegando que estos últimos son egocéntricos y que no se corresponden sus formas de pensar con las de ellas. Estos elementos expresados en las voces de las personas transexuales que forman parte del estudio, evidencian el alto grado de Segmentación Social que vivencian en este ámbito.

Es importante señalar que el trabajo realizado por el CENESEX —encaminado al desarrollo de diferentes experiencias formativas para las personas transexuales, principalmente como promotores/as de salud sexual, con énfasis en la prevención de ITS/VIH/sida y como activistas por los derechos sexuales— ha logrado resultados satisfactorios en la dimensión personal; sin embargo, no ha tenido el mismo impacto en la dimensión grupal.

Organizaciones sociopolíticas

En este ámbito las personas transexuales manifiestan mayores satisfacciones que en los anteriores. Casi la totalidad de estas personas pertenece a alguna organización social, primando la integración a los Comités de Defensa de la Revolución (CDR). Refieren participar en las actividades convocadas, con una activa incidencia en los procesos de toma de decisiones y alta satisfacción por los beneficios que obtienen de las mismas. La mayor parte considera que sus demandas son escuchadas por las organizaciones a las que pertenecen; una mínima parte piensa que existen diferencias en sus posibilidades de formular demandas respecto a otras personas que no son homosexuales o transexuales. Sin embargo, más de la mitad asegura que no ejecutan ni controlan los acuerdos propuestos por las organizaciones. La mitad de las encuestadas siente que sus intereses se corresponden con las normas de funcionamiento de las organizaciones sociales a las que pertenecen. Los principales problemas en este ámbito están asociados con la Justicia Social (específicamente en el subindicador Acceso a Oportunidades) y con la Participación (en el subindicador Alternativas).

Estos resultados no se distancian mucho del estado general existente en el país respecto al funcionamiento de las organizaciones sociopolíticas, reconocido por las investigaciones sociales, lo que se asocia a que existe cierta separación entre el contenido del trabajo, los objetivos y vías del funcionamiento de las organizaciones, y las expectativas, aspiraciones y motivaciones de la población. En el caso de las personas transexuales, se agudiza la referida contradicción a causa de los prejuicios y discriminaciones naturalizados en gran parte de la población, con su correspondiente impacto en las organizaciones sociales. En este sentido, es muy precisa la política del Partido Comunista de Cuba, contenida en los Lineamientos del VI Congreso del PCC y de su I Conferencia.

Religión

De las 27 personas transexuales de esta muestra, 4 practican la religión Yoruba o Regla de Ocha; y 1, la Evangélica Pentecostal. Todas señalan que las actividades que realizan en sus respectivas religiones se corresponden con sus intereses, que tienen protagonismo en las decisiones que se toman, y que participan en la ejecución y control de estas. Asimismo, se sienten identificadas con los valores y normas establecidos por sus religiones, y a su vez se relacionan con otras personas que las practican. Por lo tanto, se puede decir que el grupo de personas transexuales practicantes se encuentra cohesionado en relación con la religión a que pertenece.

La explicación de esta situación podría asociarse a múltiples causas, especialmente al impacto de la situación económica (sobre todo a partir de 1990) y a las medidas del Estado cubano al propiciar mayor libertad para el ejercicio de las prácticas religiosas. Desde el punto de vista del factor subjetivo, podría considerarse también, siguiendo ideas de Ramírez Calzadilla (1998), que la elevada participación en las actividades religiosas puede obedecer al carácter instrumental y utilitarista concedido por la población a este tipo de ritual, aunque con cuotas de orientación a la vida post mortem o a lo sobrenatural.

Resulta interesante lo bien integradas que se encuentran las personas practicantes de alguna religión a su comunidad religiosa, por el hecho de que se conoce la discriminación latente que tienen las instituciones religiosas hacia otras personas integrantes del Movimiento LGBTI. Esta distinción entre unos y otros pudiera explicarse porque las personas transexuales reproducen el modelo binario de género y no rompen con los estándares establecidos, ya que se comportan acorde con el conjunto de proyecciones de lo femenino y lo masculino, a lo que se añade una condición médica o de salud, que permite acoger a estas personas obviando valoraciones morales. Por consiguiente, la actitud de las instituciones religiosas es inclusiva y no discriminatoria con este grupo de personas.

Consejos Populares

Respecto a este ámbito, la mayoría dice que conoce lo que es un Consejo Popular y participa en sus actividades; una minoría de las personas transexuales de la muestra expresa que participa de manera activa, proponiendo, opinando y aportando posibles soluciones. Sin embargo, más de la mitad dice que no conoce las oportunidades que se les brindan en este ámbito. Por ejemplo, casi las tres cuartas partes refirieron que no participaron en la discusión y aprobación de los Lineamientos de la Política Económica y Social del Partido y del nuevo Código del Trabajo.

Gran parte de las personas entrevistadas afirmó que participaban en la elección del delegado/a de su circunscripción y que proponen soluciones para el mejoramiento del barrio. Muchas se adhieren a las soluciones propuestas por otros miembros de su Consejo Popular y solo una minoría considera que existen diferencias entre sus posibilidades de proponer y demandar respecto a otros/as ciudadanos/as, además de considerar que los valores y normas establecidos a nivel de Consejo Popular se contraponen a sus intereses personales y sus necesidades.

Los problemas que han presentado las personas transexuales dentro de sus Consejos Populares, sobre todo se asocian a la mala reputación que han adquirido, según ellas mismas expresan, por haber llegado al barrio en patrullas tras haber sido detenidas por travestirse o por practicar la prostitución. Algunas de estas personas se autoexcluyen en el barrio, pues no asisten a las reuniones y no proponen ninguna alternativa a las problemáticas de su localidad. Aunque se aprecia una positiva integración a los Consejos Populares, es importante afirmar que entre las personas que no se integran debidamente por decisión propia, existe un elevado nivel de apatía hacia este ámbito. Las mayores contradicciones en el barrio están vinculadas al conjunto de valores y normas compartidos por los vecinos de la comunidad; por consiguiente, en este ámbito el índice de Segmentación Social es elevado.

Es de notar que el vínculo de activismo social que sostienen las personas transexuales en las demarcaciones en que se desarrolla el accionar de los Consejos Populares es formal, lo que no solo guarda relación con lo referido en el párrafo anterior, sino también por las insuficiencias en términos de proyección, organización e implementación del trabajo en los Consejos Populares y circunscripciones. Investigaciones han revelado al respecto (Rivero, 2014) la insuficiente presencia de lo comunitario como cualidad en el desarrollo de la actividad gubernamental a este nivel. Por supuesto, esta situación constituye un obstáculo para la integración social de las personas transexuales a esta escala.

Ámbito jurídico

En relación con este ámbito, los mayores problemas están asociados al indicador Cohesión Social, pues existe una fuerte contradicción entre las normas judicialmente establecidas y las conductas de las personas transexuales, que en su mayoría han sido requeridas por la policía al no vestir en correspondencia con su sexo genital o por existir contradicciones entre el sexo consignado en su carné de identidad, su nombre e imagen física. También se han suscitado problemas entre ellas y la policía por practicar la prostitución. Otros incidentes judiciales han estado asociados a faltas de respeto por parte de los oficiales de la policía, que utilizan apodos ofensivos que transgreden su identidad de género. Una de estas personas fue detenida por un policía que la detenía por «estar disfrazada y modelando como mujer».

Se recogieron testimonios acerca de los cambios que deberían existir en la sociedad cubana para facilitar la integración social de las personas transexuales desde su propia perspectiva. Entre los elementos que más se repiten están: eliminar el burocratismo asociado a los trámites para el cambio de identidad, con el objetivo de viabilizar este proceso; también se pide que se haga un trabajo de sensibilización con las instituciones policiales para que conozcan más sobre el tema y respeten la identidad de género de estas personas.

Por su parte, al preguntarles a los decisores/as si consideraban que las personas transexuales participan en la formulación de propuestas de normas jurídicas relacionadas con sus derechos, una pequeña parte respondió afirmativamente y casi la mitad expresó no tener conocimientos al respecto.

En este mismo sentido, al indagar entre los decisores/as encuestados si los derechos sexuales en Cuba permiten a las personas transexuales iguales oportunidades y resultados que a otras personas, un tercio de ellos/as respondió afirmativamente. Uno de ellos dijo: «No creo que puedan reservar un hotel o recibir los beneficios jurídicos en caso de uniones consensuales». En la actualidad no existen instrumentos jurídicos internacionales que reconozcan todos los derechos sexuales como derechos humanos:

> … existe una crisis en la universalidad de los mencionados derechos sexuales en tanto no existe un reconocimiento pleno de los mismos, lo cual redunda en la lesión de derechos humanos como: la no discriminación, el derecho a la dignidad plena y desarrollo de la personalidad, a la vida, la libertad, salud, educación, integridad y autonomía físicas, derecho al trabajo, entre otros. Este estado de vulneración no escapa al ámbito jurídico-laboral. Los derechos sexuales les permiten a las personas el disfrute pleno de su sexualidad en cualquier ámbito de la vida social, incluso la posibilidad de expresar su identidad de género como la han construido. Estos derechos resultan vulnerados con frecuencia, debido sobre todo a las construcciones sociales, que refuerzan el binarismo de género y la heteronormatividad. Las personas transexuales experimentan estas vulneraciones en todos los ámbitos de su vida, considerándose uno de los más visibles el ámbito laboral. (Vázquez, 2014)

Es necesario revisar en el país las experiencias más avanzadas del mundo respecto al tema, especialmente en nuestra región, como son los casos de Uruguay, Argentina y México. Se trata, por una parte, de refrendar, en leyes generales y particulares, los derechos sexuales como derechos humanos universales y, por otra, actuar desde las políticas públicas para que ese proceso impacte la vida cotidiana de las personas en sus diferentes ámbitos de actuación.

Ámbito personal

Como parte del grupo focal que se desarrolló con las personas transexuales que integran la muestra, se obtuvo información valiosa en relación con los mecanismos adoptados por las personas transexuales a lo largo de su vida para hacer más llevadera su condición discriminada en la sociedad y poder participar más activamente en los diferentes ámbitos sociales; se discutió la relevancia que tiene para estas personas poder ejercer su derecho a participar; se profundizó en el ámbito cultural; y se discutió un acercamiento al ámbito deportivo, que no estaba recogido en las guías de la entrevista ni en el análisis de documentos.

Con respecto a los mecanismos adoptados por las personas transexuales, se supo que muchas de estas optaban por: a) buscar espacios en los que eran más aceptadas, b) recurrir al apoyo familiar, c) «darse a respetar aunque no las respetaran», d) elevar su autoestima, e) apoyarse en la fuerza grupal que encuentran en el CENESEX, f) adscribirse a las normativas legales siempre y cuando estas no entraran en contradicción con su identidad de género, g) proyectar una imagen social adecuada.

Sin embargo, algunas de las personas asistentes al espacio grupal refirieron que, antes de arribar a la adultez, el mecanismo más utilizado era retraerse para pasar inadvertida y no propiciar condiciones para ser discriminadas, como las que se han evidenciado anteriormente. Muchas de las personas transexuales objeto de investigación vivieron una gran cantidad de tiempo reprimiéndose para no incomodar a sus familiares, poder asistir a la escuela y los centros laborales y, por tanto, integrarse mejor a la sociedad. Estos mecanismos autoexclusivos derivaron en encierro dentro del hogar en uno de los casos, en un elevado número de permutas para mantener oculta su identidad en el barrio y en la práctica de varios intentos suicidas.

Una de las asistentes apuntó que vivió veintisiete años una mentira para poder adaptarse y sobrevivir ante las condiciones que la sociedad demandaba. Teté, T (HaM) refirió: «Siempre me proyecté de manera adecuada, en correspondencia con la dinámica de la sociedad».

Igualmente existe una diferencia sustancial en cuanto a las actitudes participativas personales antes y después de haber sido reasignadas/os por la cirugía. Apuntan que antes de la cirugía tenían más miedo de salir a la calle por sentirse más vulnerables al rechazo y las burlas. Gladys, T (HaM) comentó: «Después de reasignarme soy una mujer diferente, sin miedo a nada. Para mí no hay barreras».

Con respecto al deporte, los dos hombres transexuales (MaH) que asistieron al grupo, alegaron que desde niños les gustó practicar algún deporte y que querían competir con los varones para poder desarrollarse mejor, pero no se les permitía por ser considerados como niñas. Con las transexuales femeninas (HaM) sucede lo contrario: a ellas les gustaba practicar deportes, pero eran forzadas a realizarlo en los grupos de varones, y apuntan que no les satisfacía porque eran muy «toscos»; por lo tanto, se escapaban en los turnos de Educación Física para jugar con las niñas, desafiando así la autoridad de sus profesores.

Con respecto a su contribución a la sociedad, las personas del grupo partieron de la idea de que «pueden ser útiles, porque son seres humanos capaces de aportar cosas buenas a la sociedad y al mundo». Enfatizan que el grupo de transexuales es «capaz de mover un pueblo» porque, al haber sido víctimas de rechazo y discriminación, se sienten más sensibilizadas a la hora de respetar los criterios y las diferencias de cada persona. Su esfuerzo personal por integrarse a la sociedad deriva de que sobresalgan en las actividades profesionales y no profesionales que realizan; por consiguiente, ahí está su aporte a la sociedad. Muchas de estas personas realizan trabajos de promoción en salud sexual en comunidades y en otras provincias, participan en los talleres de sensibilización y orientación familiar y en trabajos de activismo social que organizan junto con el CENESEX. Se pudo constatar que la mayoría de las entrevistadas dejaron de emprender algún deseo o meta por temor a ser rechazadas y discriminadas por la sociedad.

En relación con sus expectativas, los sujetos entrevistados apuntan que se le debería dar más importancia a las cirugías de feminización, pues consideran que así podrían integrarse mejor a la sociedad. También aluden a la necesidad de crear sedes provinciales de la Comisión Nacional de Atención Integral a Personas Transexuales para promover un diagnóstico más temprano. Algunos casos señalan que es importante trabajar con las familias para orientarlas y que sepan a donde dirigirse cuando detecten manifestaciones «fuera de lo normalmente establecido» en sus hijos e hijas, y así ayudarles a comprender lo que les está sucediendo. Aparece como tema pendiente el trabajo en los centros educacionales con respecto a la transexualidad y proponen que se haga más énfasis en las clases de Educación Sexual.

En relación con los deseos, el más repetido es el asociado a que se les permita a las personas transexuales la adopción de niños, al alegar que se encuentran en la disposición y capacidad de adoptar a menores sin amparo filial. También se expuso la preocupación referida a las connotaciones legales que pudiera tener no declarar a la pareja o a los conocidos su anterior condición de hombre o mujer, según el sexo biológico. En este punto el debate estuvo dividido en dos grupos, uno que consideraba que no había necesidad de decirlo y otro que pensaba que había que comenzar las relaciones con la verdad y, por lo tanto, era importante explicar su «situación» a las personas allegadas.

Políticas públicas

Las problemáticas de la diversidad se convierten en problemas de políticas sociales cuando son impactadas por las desigualdades, por lo que el Estado debe intervenir en la búsqueda de respuestas que permitan la atención y superación de las mismas. Las dimensiones de estos procesos de desigualdad social son múltiples: económicas (ingresos, consumo, acceso a empleo, entre otras), políticas (alude a la participación efectiva de las personas de la diversidad en los procesos de decisión que sean significativos), sociales (nivel educacional y de salud, la vivienda, el trabajo, las calificaciones,...) y culturales (nivel cultural, acceso y disfrute de productos culturales, reconocimiento que reciben como grupo social, discriminaciones de que son objeto, entre otras).

Los hallazgos obtenidos permiten afirmar que las discriminaciones, exclusiones y segmentaciones a que son sometidas las personas transexuales están presentes en casi todos los ámbitos analizados, lo que significa que se trata de un proceso de carácter general con particularidades en cada uno de estos. No obstante, aflora un conjunto de desigualdades más marcadas e intensas, reforzadas en los ámbitos de familias, educativo, laboral, jurídico y cultural.

En la base de estas desigualdades puede estar operando una concepción de políticas públicas en términos de totalidad homogeneizada que no sitúa suficientemente la mirada en la otredad, y cuando lo hace es en el sentido de incorporarlo a la pauta homogeneizadora del poder.

Constituye un hecho para las personas transexuales entrevistadas, sobre todo en los ámbitos con incidencia negativa en sus resultados respecto a la integración social, que es insuficiente el tratamiento equitativo que estas reciben, lo que se expresa esencialmente, por una parte, en las dificultades que afrontan para acceder a la participación y utilización de recursos, y por otra, en la posibilidad de controlar su poder de decisión respecto a los beneficios. Por supuesto, ello es imposible lograrlo sin una real igualdad de derechos y poderes plenamente aceptados y ejercidos, y sin el reconocimiento de la diversidad al considerar de manera particular las necesidades y los tiempos que las satisfagan, entre otros aspectos, y al comprender que el adecuado tratamiento de la diversidad no supone segmentación social.

Anexos

Técnica: Análisis de Documentos

Esta técnica constituye una vía fundamental para descubrir los mensajes ocultos y para describir el contenido que está latente o subyacente en los mensajes entre líneas que aparezcan en los soportes físicos que serán analizados.

Objetivos

- Identificar en los documentos la presencia o no de los indicadores y subindicadores relacionados con la variable *integración social de las personas transexuales*.
- Caracterizar las condiciones que propician u obstaculizan la integración social de las personas transexuales.

Aspectos que serán objeto de indagación a través de esta técnica

Integración social de las personas transexuales:

1. *Participación*
   - demandas
   - alternativas
   - decisión
   - control
   - ejecución
2. *Cohesión social*
   - valores
   - normas
3. *Justicia social*
   - acceso a oportunidades
   - igualdad de resultados

Soporte físico de los datos

- Historias clínicas
- Expedientes laborales y escolares
- Cartas

- Fotos
- Autobiografía
- Documentos de políticas sociales
- Informes científicos y administrativos del CENESEX

Se enmarcará el contexto de los datos teniendo en cuenta fecha y lugar en que fueron emitidos, redactados o grabados en soporte audiovisual, así como se consignará la fuente y el soporte en que subyacen los datos originales.

Técnica: Entrevista semiestructurada en profundidad

Datos sociodemográficos:
Edad ________
Último grado vencido ______________________________
Ocupación actual ______________________________
Lugar de residencia ____

1. ¿Has contado con el apoyo de tu familia a lo largo de tu vida? Argumente.
   1.1 ¿Has contado con respaldo económico por parte de tu familia? ¿Cómo ha sido ese respaldo?
   1.2 ¿Ha sido respetada tu intimidad por tu familia?
   1.3 ¿Has podido expresar tus necesidades, demandas y puntos de vista en el ámbito familiar? ¿Cómo?
2. ¿Participas en las decisiones que se toman en tu familia? ¿Cuáles?
   2.1 ¿De quién surge la propuesta?
   2.2 ¿Tienes oportunidad de plantear alguna alternativa? ¿Se tiene en cuenta?
   2.3 ¿Participas en la ejecución y control de la propuesta?
3. ¿Con qué miembro o miembros de tu familia has tenido un vínculo más estrecho?
4. ¿Has sido víctima de rechazo o agresión por parte de algún miembro de tu familia?
5. ¿De qué manera se ha expresado ese rechazo o agresión?
6. ¿Tu familia está compuesta por personas que comparten tus criterios con relación a la identidad de género?
7. ¿Te has sentido rechazada/o por tus profesores/as o compañeros/as de estudio?
8. ¿Tu grupo estudiantil estaba integrado por estudiantes que respetaban tu identidad de género?
9. ¿Podrías comentarme alguna o algunas situaciones concretas en que te sentiste rechazado/a?
10. ¿Cómo valoras las oportunidades de acceso al estudio que tuviste en tu etapa escolar?
11. ¿Pudiste estudiar la profesión que deseabas?
12. ¿Tuviste participación en las actividades escolares?

13. ¿Has tenido oportunidades de empleo? ¿Cómo valoras estas oportunidades?
14. ¿Qué resultados concretos has tenido en los trabajos que has realizado?
15. ¿Cómo son las relaciones que estableces con tus compañeros de trabajo y jefes?
16. ¿Tu identidad de género ha sido respetada en los centros de trabajo donde has desarrollado tu actividad laboral?
17. ¿Qué opinas de las normas establecidas en los centros donde has desarrollado tu actividad laboral?
18. ¿Participas en todas las actividades que se realizan en tu centro laboral?
    18.1 ¿De quiénes surgen las propuestas de tareas o actividades laborales?
    18.2 ¿De quién se consideran las alternativas para tomar decisiones?
    18.3 ¿Qué participación sueles tener en las decisiones adoptadas?
    18.4 ¿Quiénes suelen tener protagonismo en la ejecución y control de las decisiones?
19. ¿Te sientes partícipe del cuidado de tu salud? ¿Por qué?
    19.1 ¿Qué papel han desempeñado otras personas en el cuidado de tu salud?
    19.2 ¿Las principales decisiones respecto a tu salud han sido tomadas por ti?
20. ¿El sistema de salud cubano te ha dado acceso a la solución de tus principales malestares?
21. ¿En el sistema de salud cubano se respeta tu identidad de género? Explique.
22. ¿Te has sentido afectado/a por las normas y valores socialmente establecidos por el sistema de salud cubano?
23. ¿Cómo valoras la atención que te brindan los profesionales de la salud?
24. ¿Cuáles son los principales temas que prevalecen en los encuentros con otras personas transexuales?
25. ¿Qué aspiraciones compartes en este grupo y cuáles no?
26. ¿Cuáles son los lugares que prefieres frecuentar? ¿Por qué?
27. ¿En qué espacios te sientes más libre y realizado/a? ¿Por qué?

28. ¿Pudieras caracterizar cómo es tu participación en el grupo de personas autoidentificadas como transexuales?
29. ¿Qué grado de protagonismo tienes en las decisiones que se toman en el grupo?
30. ¿En ese grupo te sientes con igualdad de condiciones respecto a las oportunidades y resultados?
31. ¿Qué significa para ti ser mujer u hombre?
32. ¿Cuáles fueron a lo largo de tu vida las metas más importantes que te trazaste? ¿Pudiste cumplirlas?
33. ¿Alguna vez dejaste de emprender algún deseo o meta por ser discriminada/o o rechazada/o? ¿Por qué?
34. ¿Has tenido participación en la elaboración de propuestas de normas jurídicas relacionadas con los derechos sexuales e identidad de género?
35. ¿Los derechos sexuales en Cuba te permiten iguales oportunidades y resultados que a otras personas? ¿Por qué?
36. ¿Consideras que las normas y valores que prevalecen en la sociedad cubana expresan tus aspiraciones y necesidades?
37. ¿Perteneces a alguna organización social?
38. ¿Participas en actividades convocadas por estas?
39. ¿Participas en los procesos de toma de decisiones de las organizaciones a las que perteneces?
    39.1 ¿Piensas que tus demandas son escuchadas por estas organizaciones?
    39.2 ¿Y las demandas de los demás miembros de la organización son escuchadas?
    39.3 ¿Existe alguna diferencia entre tu participación en la toma dc decisiones y las de los demás miembros de la organización? ¿Cuál?
    39.4 ¿De alguna manera ejecutas y controlas lo que se acuerda en estas organizaciones? ¿Y los demás miembros de la organización?
40. ¿Crees que obtienes algún beneficio de las organizaciones sociales a las que perteneces? ¿Cuáles?
41. ¿Las normas de funcionamiento de estas organizaciones se corresponden con tu forma de pensar? ¿Y con tus intereses?
42. ¿Practicas alguna religión?

43. ¿En qué consiste tu participación en esa religión?
    43.1 ¿Se corresponde lo que haces en esa religión con tus intereses?
    43.2 ¿Tienes protagonismo en las decisiones?
    43.3 ¿Participas en la ejecución y control de lo que se decide?
44. ¿Te relacionas con otras personas de tu misma religión? ¿Cómo son estas relaciones?
45. ¿Las normas de esa religión se corresponden con tus aspiraciones?
46. ¿En qué te sientes beneficiado por esa religión?
47. ¿Sabes qué es un Consejo Popular y cuáles son sus funciones?
48. ¿Participas en las actividades de tu Consejo Popular?
    Si respondes que sí, ¿en cuáles?, ¿cómo participas? (postulan, eligen, controlan a sus decisores y participan en las decisiones de su barrio). Y si respondes que no, ¿por qué?
49. ¿Conoces las oportunidades que ofrece el Consejo Popular al que perteneces?
    Si respondes que sí, ¿cuáles?
50. ¿Eliges al delegado de tu circunscripción y presidente del Consejo Popular?
51. ¿Propones soluciones para el mejoramiento de tu barrio?
52. ¿Te incorporas a las soluciones que se proponen por los vecinos de tu circunscripción?
53. ¿Existe alguna diferencia entre tu posibilidad de controlar las decisiones que se toman y las de los demás ciudadanos? ¿Cuál?
54. ¿Las normas y valores compartidos por los vecinos de tu Consejo Popular se contraponen a tus necesidades e intereses?
55. ¿Participaste en la discusión sobre los Lineamientos de la Política Económica y Social del Partido, y en la discusión sobre el Código de Trabajo? ¿Cómo lo hiciste? ¿Dónde?
56. ¿Qué cambios deberían ocurrir en la sociedad cubana para que se lograra una mayor integración de las personas transexuales?

Técnica: Cuestionario autoadministrado

El cuestionario que le presentamos a continuación, forma parte de una investigación del Centro Nacional de Educación Sexual (CENESEX), encaminada a elaborar una estrategia que propicie la integración social de las personas transexuales en el contexto actual de la sociedad cubana.

Este es de carácter anónimo y la información es totalmente confidencial. Las respuestas que usted brinde son de vital importancia para la investigación. Se le agradece de antemano su cooperación y sinceridad.

Muchas gracias.

1. Edad: ____ años

2. Sexo:
   ___ Femenino　　　　___Masculino

3. Nivel de escolaridad:
   ____ Primaria　　　　____ Tecnológico
   ____ Secundaria　　　　____ Universidad
   ____ Preuniversitario

4. Ocupación actual: ______________________________

5. ¿Qué entiende usted por transexualidad?
   ____
   ____
   ____
   ____
   ____
   ____

6. ¿Su profesión o responsabilidad laboral le permite contar con conocimientos para valorar el tema de la transexualidad?
   ___ Sí　　　　___ No

Explique. ____
____
____
____
____
____
____

7. ¿Considera usted que las normas y valores compartidos por la sociedad estigmatizan a las personas transexuales?
___ Sí ___ No

¿Por qué?____
____
____
____
____
____
____

8. ¿Cómo considera que las personas transexuales participan en el proceso de toma de decisiones de la sociedad cubana actual?
___ Participan activamente
___ Tienen poca participación
___ No participan
___ No sé

9. ¿Cómo se trabaja el tema de la transexualidad en la institución que representa?
____
____
____
____
____
____

10. ¿Participan las personas transexuales en la formulación de propuestas de normas jurídicas relacionadas con sus derechos?
___ Sí ___ No ___ No sé

11. ¿Desde su institución se le brinda asesoría a las familias con respecto a la temática de la transexualidad?
___ Sí ____ No ___ No sé

12. ¿Los derechos sexuales en Cuba les permiten a las personas transexuales iguales oportunidades y resultados que a otras personas?
___ Sí ___ No ___ No sé

13. A nivel de política social, ¿qué mecanismos cree usted que se deberían implementar para facilitar la integración social de las personas transexuales?
____
____
____
____
____
____
____

14. Señale con una X cuáles de las situaciones que aparecen a continuación ocurren en los centros laborales de las personas transexuales:
___ Trato diferente ___ Amenazas
___ Son aceptadas ___ Se les trata como a los demás
___ Comentarios peyorativos ___ Son promovidas a cargos de dirección
___ Abuso verbal y/o físico ___ Reciben apoyo de sus compañeros/as
___ Son rechazadas ___ Indiferencia
___ Se consideran problema social ___ Se les considera equilibradas mentalmente
___ No sé ___ Usan el baño de acuerdo con su imagen

15. ¿Considera que las normas y valores que prevalecen en la sociedad cubana contienen las necesidades de las personas transexuales?
___ Sí ___ No ___ No sé

16. ¿Qué elementos considera que se deben tener en cuenta para tratar el tema de la transexualidad en los medios de comunicación?
____
____
____
____

17. Señale con (1) los tres ámbitos de la sociedad cubana en que usted considere que las personas transexuales tienen un mayor nivel de participación, y con (0) los tres ámbitos en que tienen menos participación:
___ Familia ___ Trabajo ___ Grupos informales
___ Salud ___ Consejos Populares
___ Religión ___ Educación ___ Cultura
___Organizaciones sociales y de masas ___ Deportes
___ Derecho ___ Organizaciones políticas

18. ¿Cree usted que en Cuba prevalecen prácticas sociales discriminatorias hacia las personas transexuales?
___ Sí ___ No ___ No sé

¿Cuáles? ______________________________________
____
____
____
____
____
____
____
____

19. ¿Cree importante, para el proyecto emancipador de la Revolución Cubana, la integración social de las personas transexuales?
___ Sí ___ No ___ No sé

20. Para que haya una mayor integración social de las personas transexuales en Cuba:
____ Las personas transexuales deberían tener sus espacios de convivencia propios.
____ Las personas transexuales deberían compartir los mismos espacios de convivencia con otras.

21. A su consideración, ¿qué cambios deberían ocurrir en la sociedad cubana para que se logre una mayor integración social de las personas transexuales?
____
____
____
____
____
____
____
____
____
____
____
____

Propuesta de estrategia para la integración social de las personas transexuales en la sociedad cubana actual

Este tema parte de una concepción de estrategia social, la cual designa el marco general para el establecimiento de una política pública en relación con la temática de las identidades de género. Se comprende como uno de los elementos del diseño de la política, que permite monitorear y evaluar el tratamiento del tema. En el orden operacional se trata de la propuesta de una vía que promueva el replanteo de las experiencias respecto al género y la adquisición de aprendizajes en este sentido a través de la socialización, en la que tienen importancia no solo las acciones de las estructuras sociales sino también las de los sujetos (personas transexuales), con la finalidad de desafiar y transformar el discurso y las prácticas hegemónicas asociadas a la identidad de género, con énfasis en el caso de las personas transexuales.

Se explican las características de la estrategia propuesta, que parte de la caracterización de los procesos de justicia social, participación y cohesión, así como de la identificación de las condiciones que en cada uno de los ámbitos seleccionados favorece o limita ese proceso, sus fundamentos conceptuales y principios. Se plantea el problema que resuelve el objetivo general, precisando etapas fundamentales y acciones de cada una.

Las estrategias constituyen una ruta para viabilizar la solución de problemas detectados en los procesos (entiéndanse como problemas, las contradicciones entre el estado actual y el deseado del objeto de análisis y la intervención, de acuerdo con las expectativas que dimanan, por una parte, de las necesidades de integración social para las personas transexuales y, por otra, de la consideración de lo que esto implica en términos de viabilidad para el proyecto social cubano).

La autora parte de la idea de que la situación existente en Cuba respecto a la integración social de las personas transexuales requiere de un tratamiento estratégico específico: un sistema de procedimientos abiertos y determinados por la práctica, a partir de una base orientadora para cada una de sus etapas, momentos o fases, en el sentido de contar con acciones organizadas que faciliten eficacia y buenos resultados en relación con los objetivos.

La estrategia que se presenta como resultado del estudio realizado, se fundamenta en una serie de principios que parten del contexto y del diagnóstico de la realidad de las personas transexuales que forman parte de la muestra, la cual pretende transformarse.

Para la definición de la estrategia a proponer, la primera pregunta que se debe responder es: ¿qué se desea transformar? En este caso, se trata de la limitada integración social de las personas transexuales en la sociedad cubana, con el fin de contribuir al bienestar de esas personas y, al mismo tiempo, a la unidad del pueblo como elemento de viabilidad del proyecto social. Para la presente investigación se asume como «*estrategia* al conjunto de acciones secuenciales e interrelacionadas que partiendo de un estado inicial (dado por el diagnóstico) permiten dirigir el paso a un estado ideal-*posible* [el subrayado es de la autora] consecuencia de la planeación» (Valle, 2007).

La estrategia sobre la integración social de las personas transexuales que se propone, consta de los siguientes componentes: principios, objetivos, etapas, secuencia de acciones en el proceso de cada una de las etapas y evaluación de los resultados.

Es necesario aclarar que la propuesta de estrategia que se formula para este ejercicio de obtención del grado científico de Doctora en Ciencias Sociológicas, viene construyéndose por la autora desde 2005 y expresa avances en su aplicación práctica, lo que abarca la primera y parte de la segunda de las etapas que tiene previstas para su implementación.

Principios de la estrategia metodológica para la integración social de las personas transexuales en la sociedad cubana actual

Reconocimiento y respeto a la diversidad de identidades de género. La diversidad de identidades de género forma parte de los procesos complejos contenidos en la realidad social, que es a la vez holística, multicondicionada y mediadora de los procesos sociales. Reconocer y respetar esa diversidad es una necesidad para la comprensión y transformación revolucionaria de la sociedad.

No discriminación por concepto de identidad de género. Aislar, segregar, excluir, omitir, ocasionar daños y no facilitar igualdad de oportunidades y resultados a las personas transexuales constituyen formas de discriminación que no favorecen la integración social de ese grupo social.

Igualdad de oportunidades. Igualdad en el acceso a oportunidades para las personas transexuales, lo que contribuye a su bienestar y a la ausencia de discriminación de cualquier tipo y de exclusión social.

Igualdad de resultados. La distribución de beneficios y costos al alcance de las personas transexuales influye en su condición de personas excluidas socialmente.

Necesidad de diferentes opciones en término de propuestas de soluciones. Las personas transexuales son heterogéneas en sus características, en sus pensamientos e incluso en sus reivindicaciones, a pesar de los estereotipos que tratan de reducirlas a determinados perfiles. Esto exige una atención diferenciada en términos de políticas públicas.

Garantía de derechos. Es importante la cobertura legal al sistema de derechos sexuales de las personas transexuales como derechos humanos. Resulta necesario que los Estados no pierdan esta perspectiva a la hora de trazar sus políticas.

Involucración de la opinión pública. La legitimidad de los derechos de las personas transexuales en la opinión pública es una condición necesaria para su integración social. En ello desempeña un papel fundamental la información y la sensibilización que lleven a cabo la sociedad política y la sociedad civil.

Ciudadanía activa. Las personas transexuales son sujetos activos, promotores y portadores de derechos, con capacidad de decisión y de participar en los procesos de transformación social.

Lo local-comunitario como ámbito y cualidad. El desarrollo de vínculos comunitarios (conciencia crítica sobre la realidad, participación cooperada y proyectos de vida) entre las personas transexuales y de estas con la sociedad en su conjunto, constituye una condición importante para su integración social.

Control social sustentado en el reconocimiento de las identidades de género. Superación de formas estigmatizadoras y excluyentes de control social basadas en el binarismo de género y la heteronormatividad, que sirven como mecanismos de dominación y opresión sobre las personas transexuales.

Interseccionalidad. La concepción estratégica para la integración de las personas transexuales debe partir de la articulación entre los diferentes sistemas que generan discriminación, exclusión y segmentación; es decir, considerar los nexos y recursividad de las diferentes fuentes de discriminación existentes en una sociedad concreta por motivos raciales, de género, de condición étnica, religiosa y territorial, entre otras.

El análisis preliminar realizado a partir de los métodos de investigación científica explicados anteriormente, y la caracterización del estado actual de la integración social de las personas transexuales, así como de las condiciones que obstaculizan o favorecen este proceso, permiten fundamentar la estrategia desde el punto de vista conceptual.

La estrategia tiene como base teórica y metodológica el principio de la dialéctica. Considera la práctica sociohistórica como punto de partida para el establecimiento de la relación hombre-mujer con el mundo, lo que a efectos de la investigación presupone la posibilidad de modificar el estado del proceso de integración social de las personas transexuales.

Se desarrolla desde un análisis multifactorial del objeto de investigación, que tiene en cuenta factores de índole social, económica, sociopolítica y cultural-espiritual en el sentido más amplio de la palabra.

La estrategia reconoce el carácter contradictorio, complejo y procesal del conocimiento; por tal razón se organiza desde el diagnóstico de la situación real de los sujetos de la muestra y se proyecta hacia un estado deseado.

Se defiende el criterio de que los seres humanos son una realidad viva, biopsicosocial, individual e histórica. La naturaleza humana está históricamente condicionada por cada época; los seres humanos varían en el curso de la historia, se desarrollan, se transforman y son el producto de esta (véase López, Esteba, Rosés, Chávez, Valera y Ruiz, s.f.).

Se parte del reconocimiento de las corrientes ideológicas internacionales actuales, en especial el neoliberalismo y la globalización de este siglo, que promueven una filosofía del egoísmo, la privatización y el mercado como regulador de la vida de los pueblos. Es una filosofía de base opuesta a la solidaridad, al respeto a la diversidad y a los derechos humanos que afecta el sistema de relaciones sociales a nivel internacional y deja su impronta en los contextos nacionales.

Desde lo sociológico, se aprecia la influencia de las dinámicas macrosociales, institucionales, grupales e individuales en el proceso de integración social y su reflejo particular en los ámbitos, en los que, a su vez, se producen y reproducen condiciones de influencia en el proceso de integración social de las personas transexuales. Se tuvo en cuenta el carácter transicional de la sociedad cubana y el sistema de contradicciones que la integra.

La estrategia se caracteriza por su objetividad, aplicabilidad, flexibilidad, carácter contextualizado, carácter vivencial, carácter reconsiderativo de la práctica y nivel de actualización.

Los aspectos referidos antes se vinculan en la investigación con el objeto de indagación científica: la integración social de las personas transexuales en Cuba. Para lograr esta correspondencia desde el punto de vista metodológico, ha sido necesario un posicionamiento de la autora respecto a cómo comprender la transexualidad, el asunto de la diversidad de identidades de género y los derechos sexuales como derechos humanos que asisten a estas personas, para lo cual se expresaron las ideas que asume la autora al respecto en el apartado teórico de esta tesis. Se identificó un conjunto de contradicciones en la relación transexualidad-sociedad, así como las implicaciones de las mismas para las personas y la colectividad, lo que constituyó objeto de análisis en apartados anteriores.

Concepción general de la estrategia

La propuesta de estrategia surge como necesidad de la identificación de elementos de discriminación, exclusión y segmentación sobre las personas transexuales.

Para esta se retoman las ideas de Valle (2007) sobre los componentes que conforman una estrategia: la misión, los objetivos, las acciones, los métodos y procedimientos, los recursos, los responsables de las acciones, las formas de implementación y las formas de evaluación. La autora organiza estos componentes en etapas. Cada uno de estos elementos estructurales se explicará en el transcurso de la presentación de la estrategia metodológica.

El *funcionamiento de la estrategia* está dirigido a lograr la combinación armónica a través de las fases y acciones de aspectos que corresponden al funcionamiento del Estado cubano a través de sus políticas públicas en relación con las temáticas de la identidad de género y de otras más particulares que corresponden a las propias personas transexuales. Este proceso funcional está mediatizado por el cumplimiento de las exigencias y las características de la estrategia señaladas con anterioridad, las cuales ofrecen la dinámica de funcionamiento a través de las etapas de caracterización y planeación, instrumentación y evaluación.

Un elemento esencial del funcionamiento de la estrategia es la concreción de sus objetivos y acciones generales a escala territorial. Para ello la propuesta incluye la creación de estructuras a nivel provincial y municipal que coordinen e implementen tales acciones.

Cuba cuenta con un Programa Nacional de Educación y Salud Sexual, coordinado por el Ministerio de Salud Pública y asesorado por el CENESEX, que involucra a los gobiernos provinciales y municipales, instituciones sectoriales y organizaciones de la sociedad civil. Tal estructura sería el asiento de esta estrategia.

Esta estrategia responde al problema general de la investigación; por tanto, está dirigida a resolver el siguiente *problema científico*: ¿cómo propiciar la integración social de las personas transexuales en el contexto actual de la sociedad cubana?

Objetivo general de la estrategia. Facilitar la integración social de las personas transexuales en el contexto actual de la sociedad cubana.

A continuación se representa gráficamente la estrategia.

Estrategia para la integración social de las personas transexuales en el contexto de la sociedad cubana

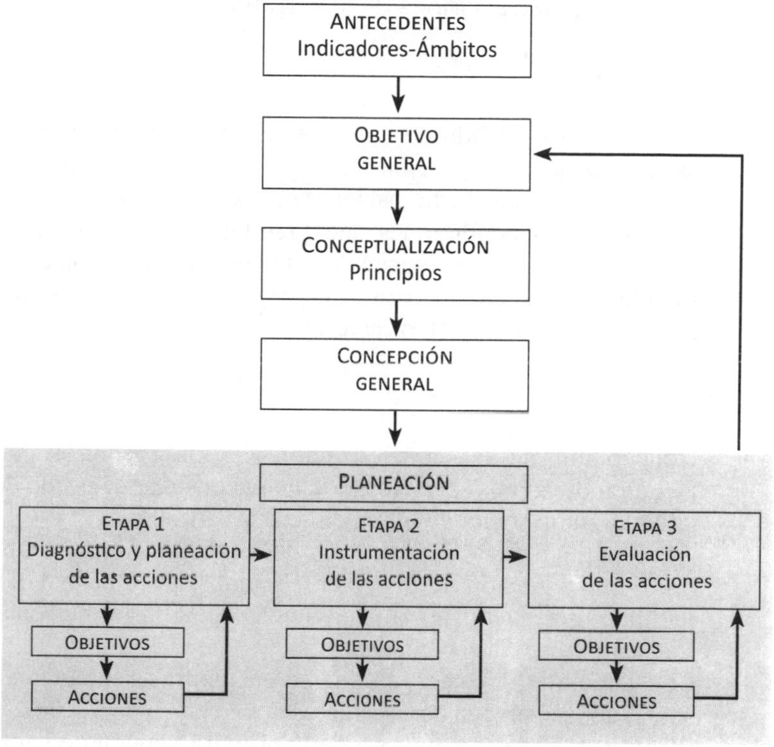

De inmediato se explica cada una de las etapas por las que transita la estrategia.

Primera etapa. Caracterización y planeación de las acciones de la estrategia

Objetivos

- Caracterizar el estado en que se encuentran los indicadores esenciales de la integración social de las personas transexuales: justicia social, participación y cohesión social.
- Identificar las condiciones que facilitan u obstaculizan el proceso de integración social de las personas transexuales.
- Planificar las acciones para la integración social, según los resultados de los objetivos anteriores.

Acciones

- Concepción de la caracterización de integración social (según indicadores seleccionados) para constatar el estado de la integración social de los sujetos de la muestra.
- Concepción para la identificación de condiciones (según ámbitos de integración/desintegración social seleccionados) que facilitan u obstaculizan la integración social de las personas transexuales en la sociedad cubana.
- Constatación del estado en que se encuentra la integración social de las personas transexuales.
- Planificación de la propuesta de la primera versión de la estrategia, concebida a partir de los resultados del diagnóstico inicial acerca de la integración social de las personas transexuales.
- Planeación y elaboración del programa del curso de postgrado para los miembros de la Comisión Nacional de Atención a Personas Transexuales.
- Planeación y elaboración del Programa de Sensibilización a Decisores en Educación Integral de la Sexualidad y Promoción de Salud Sexual.

- Planeación y elaboración del sistema de capacitación de las personas transexuales.
- Planeación del sistema de acciones para el perfeccionamiento de las políticas públicas dirigidas a la integración social de las personas transexuales.

Segunda etapa. Instrumentación de las acciones de la estrategia para la integración social de las personas transexuales

Objetivo específico

- Aplicar las acciones de la etapa de instrumentación de la estrategia para la integración social de las personas transexuales, a través del curso de postgrado, el curso de sensibilización para decisores y el sistema de capacitación de personas transexuales, así como el sistema de acciones para el perfeccionamiento de las políticas públicas dirigidas a la integración social de las personas transexuales.

Acciones

- Relacionar cada una de las acciones con los resultados de la caracterización y el análisis de las condiciones para la integración social de las personas transexuales como punto de partida y eje articulador para la implementación.
- Realizar las adecuaciones a la estrategia a partir de su evaluación por los expertos.
- Aplicar las acciones de la etapa de instrumentación de la estrategia.

Por la importancia que tienen las acciones de formación, sensibilización y capacitación seleccionadas en la etapa de instrumentación de la estrategia metodológica de superación, se ofrece una breve explicación acerca de cada una de estas. Asimismo, se fundamenta el sistema de acciones para el perfeccionamiento de las políticas públicas dirigidas a la integración social de las personas transexuales.

Tercera etapa. Evaluación de la estrategia de integración social de las personas transexuales en Cuba

Objetivo

- Constatar la correspondencia entre los objetivos inicialmente definidos para cada etapa de la estrategia y los resultados alcanzados en cada una de estas.

Acciones

- Diseñar y aplicar la evaluación a realizar.
- Constatación de la contribución de la estrategia a la formación de especialistas miembros de la Comisión Nacional de Atención Integral a Personas Transexuales.
- Constatación de la contribución de la estrategia a la sensibilización de decisores de políticas públicas en relación con la integración social de las personas transexuales.
- Constatación de la contribución de la estrategia a la capacitación de las personas transexuales con vistas a lograr su integración social.
- Constatación de la contribución de la estrategia al diseño e implementación de políticas públicas para la integración social de las personas transexuales.
- Constatación del avance o retroceso respecto a la integración social de las personas transexuales.

La evaluación de la estrategia abarca cuatro momentos:

- evaluación inicial,
- evaluación de eficacia o de proceso,
- evaluación final,
- evaluación de impacto.

Para evaluar esta estrategia se utilizarán cuatro indicadores básicos que tienen un carácter general en correspondencia con la complejidad de los insumos que conforman la estrategia. Estos indicadores son: conocimientos y habilidades de especialistas de la Comisión Nacional de Atención Integral a Personas Transexuales sobre el enfoque integrador y complejo de la realidad transexual; conocimiento de los/las decisores/as de las condiciones que desintegran socialmente a las personas transexuales; conocimientos y habilidades de las personas transexuales para su desarrollo integral y activismo social; instrumentación de una política pública intersectorial para la integración social de personas transexuales.

Conclusiones parciales

En síntesis, la desigualdad social de las personas transexuales en Cuba abarca varias esferas de la actividad vital de estas personas, con base en elementos estructurales de índole económica, sociopolítica y cultural-espiritual, lo cual se articula con procesos de discriminación, exclusión y segmentación, lo que se expresa en violencia física y psicológica, problemas de salud, elección del trabajo sexual, nivel educacional por debajo de la media nacional, limitadas opciones de trabajo, desvinculación familiar, situación habitacional con dificultades, limitadas intervenciones sociales por el insuficiente reconocimiento de las necesidades de este grupo, falta de información y la existencia de barreras sociales al proceso de integración de las personas transexuales. Las situaciones de desintegración social referidas en este capítulo dan cuenta del peligro de vulnerabilidad en que se desarrolla la vida de las personas transexuales cubanas, que se diferencia de la que se identifica comúnmente en la literatura internacional precisamente por las particularidades del contexto cubano.

La Revolución Cubana está en capacidad de viabilizar un cambio de esta situación. El contexto sociopolítico cubano favorece la adopción de medidas que faciliten superar los obstáculos a la integración social de las personas transexuales. El finalizado Congreso del PCC y la Conferencia del PCC se han proyectado a favor de eliminar todo tipo de discriminación, lo cual ha tenido eco, en general, en otros espacios de reflexión políticos, jurídicos y culturales que se han desarrollado en la realidad cubana. Asimismo, existe una experiencia de trabajo en el campo de la educación integral de la sexualidad con reconocidos logros a nivel internacional.

No obstante los logros históricos de la Revolución Cubana en materia de políticas sociales, constituye una prioridad avanzar en el diseño e implementación de medidas y leyes concretas que contribuyan a la superación de los procesos discriminatorios aún existentes, de las desigualdades y de los posibles contextos de vulnerabilidad asociados a estas situaciones que afectan a las personas transexuales. Es necesario que el Estado cubano dé respuestas más efectivas a las desigualdades y desintegración sociales de las personas transexuales a través de programas que superen el carácter supuestamente universalista, que no toman en cuenta sus necesidades de forma particular y que desde una visión homogeneizante producen desigualdades económicas y limitaciones en el acceso a la producción y consumo de bienes de diferentes tipos. Se trata de la necesidad de acciones que, a partir de un enfoque de ciudadanía activa, faciliten el desarrollo de la capacidad agencial y transformadora de las personas transexuales.

Las políticas públicas con perspectiva de diversidad, en el campo de las identidades de género, deben caracterizarse por un enfoque diferencial, de garantía y protección de derechos humanos en este sentido; por el ofrecimiento de servicios públicos vulnerados a las personas transexuales; por ser intersectoriales y promover el reconocimiento de estas personas como sujetos de derechos, promotoras y portadoras de los mismos.

El estudio realizado ha permitido visibilizar un conjunto de aspectos desintegradores respecto a las personas transexuales en la actualidad cubana y ha puesto en evidencias sus vulneraciones específicas, a partir de lo cual su autora ha propuesto un conjunto de acciones de protección y restauración de derechos, en las cuales, además del rol que corresponde al Estado en el diseño de esas correspondientes políticas públicas, se promueve la participación consciente de las personas transexuales en la creación de condiciones que favorezcan su integración social, no en el sentido de adaptación al orden socialmente establecido, sino en el sentido de su emancipación y dignificación. Las particularidades del contexto cubano permiten hacer este tipo de propuesta, en la que se pueden complementar las acciones de la sociedad política y la sociedad civil.

Un aspecto clave en el alcance de este propósito es el desarrollo de políticas afirmativas sobre este grupo social a través de la creación de estructuras de inserción social y desarrollo humano en general que permitan la satisfacción de las necesidades básicas de estas personas, lo que resulta imprescindible para lograr el reconocimiento, el respeto y la aplicación de sus derechos, y con ello contribuir a su dignificación y emancipación humana.

Sistema de acciones para el perfeccionamiento de las políticas públicas dirigidas a la integración social de las personas transexuales

1. *Institucionalización permanente y con enfoque intersectorial de políticas públicas para la población transexual*

- Instituir la ley de identidad de género como plan de Estado único y abarcativo que sirva como marco general para la transversalización del enfoque de identidad de género en el trabajo de los diferentes.
- Desarrollar conocimientos acerca de las características demográficas de la población transexual del país a efectos de lograr precisión en las acciones de política que se diseñen e implementen (agregar la categoría *transexual* y desagregar información por identidad de género en las estadísticas nacionales).
- Transversalizar las políticas públicas ya instituidas y las de nueva creación con enfoque de identidad de género, con sus correspondientes metas e indicadores.
- Mientras no se formule la ley de identidad de género, crear políticas afirmativas que favorezcan a las personas transexuales, de manera especial en los ámbitos laboral, familiar y educacional.
- Crear sistemas de monitoreo, evaluación y sistematización de estas políticas y programas.
- Legitimar el Programa Nacional de Educación y Salud Sexual (PRONESS) como mecanismo de coordinación a nivel nacional

en este tema y programa rector sombrilla de los programas y proyectos que surjan en cada Organismo de la Administración Central del Estado.

- Crear las estructuras del PRONESS a nivel provincial y municipal.
- Incorporar el tema de la identidad de género en la gestión del desarrollo local-comunitario que realizan las Asambleas Municipales del Poder Popular.
- Crear y desarrollar la estrategia nacional de comunicación social con implicaciones inter e intrasectoriales del desarrollo social en el país.
- Ampliar el desarrollo de investigaciones científicas sobre la relación transexualidad-sociedad en calidad de insumos para las políticas públicas.
- Perfeccionar el sistema de capacitación y formación de recursos humanos más directamente vinculados con las problemáticas de las personas transexuales.
- Instituir mecanismos de denuncias ante situaciones de discriminación de las personas transexuales.
- Adecuación de la infraestructura pública y especialmente los baños y locales de vestuarios en función de las necesidades de las personas transexuales.
- Impulsar la participación de las personas transexuales y sus grupos en el debate, reflexión y toma de decisiones que les afecten directa o indirectamente.
- Potenciar procesos de empoderamiento como estrategia de poder y evitar revictimización.

2. *Fortalecer la inserción laboral de las personas transexuales*

- Aprobar a nivel de código de trabajo la eliminación de la discriminación por concepto de identidad de género.
- Crear el Subprograma de Educación y Salud Sexual en el Ministerio de Trabajo y Seguridad Social como parte del PRONESS.
- Establecer vías de seguimiento y control sociolaboral sobre la atención que reciben las personas transexuales en sus centros de trabajo.

- Favorecer la integración laboral de las personas transexuales garantizando su acceso al empleo en igualdad de oportunidades.
- Realizar la adecuada selección y capacitación de las personas que tienen la función de orientar y facilitar el acceso a empleos de manera que no sea este un mecanismo de discriminación a personas transexuales.
- Desarrollar capacitación y formación permanente a funcionarios y funcionarias en temáticas de identidad de género y orientación sexual.
- Facilitar el acceso de las personas transexuales a puestos de dirección en sus espacios laborales.
- Crear mecanismos de denuncia por motivos de discriminación por identidad de género.
- Implementar programas de formación para el empleo de las personas transexuales.

3. *Salud*

- Ampliar la cobertura de servicios de salud sexual con adecuado enfoque de género e identidad de género en las localidades del país.
- Aprobar el Programa Nacional de Salud Sexual como subprograma del PRONESS.
- Perfeccionar el trabajo de la Comisión Nacional de Atención a Personas Transexuales.
- Desarrollar la capacidad técnica (recursos humanos e infraestructura material) para garantizar el desarrollo exitoso de la atención a las necesidades de salud de las personas transexuales.
- Desarrollar la formación especializada de los equipos nacionales y territoriales para el desarrollo de las cirugías de reasignación sexual.
- Desarrollar conciencia en el personal de salud acerca de la necesidad de la despatologización de la transexualidad, eliminando de los códigos profesionales el término *disforia de género*.

- Desarrollar un trato adecuado a las personas transexuales en los servicios de salud en todos sus niveles.
- Crear protocolos específicos de atención en el sistema de salud a las personas transexuales que garanticen la atención diferenciada.
- Incluir el tema *identidad de género* en los planes curriculares de la formación de médicos y enfermeros, así como en las especialidades médicas.
- Implementar talleres en los centros de salud sobre los derechos sexuales, la salud sexual y la identidad de género como vías de capacitación de los trabajadores del sector.
- Implementar de conjunto con los grupos de personas transexuales campañas de prevención y promoción de la salud de este grupo social.

4. *Educación*

- Perfeccionar la aplicación del Subprograma de Educación Sexual del Ministerio de Educación en las escuelas, especialmente en lo referido a la atención a la diversidad sexual y de identidades de género.
- Elevar el nivel de preparación de docentes en temas de educación integral de la sexualidad, y de manera particular en la atención a las necesidades relacionadas con las identidades de género en toda su diversidad.
- Ampliar la base material de estudio de los alumnos y alumnas relacionada con los temas de identidad de género.
- Crear infraestructura amigable a la diversidad de identidades de género (baños, vestimenta,…).
- Atender las señales de violencia por concepto de identidad de género en la escuela, registrarlas y adoptar las medidas para su eliminación.
- Dar seguimiento y evaluar el estado de la retención y deserción escolar de las personas transexuales, así como la calidad de su proceso formativo.
- Sensibilizar a las familias en el respeto y apoyo a las personas transexuales como vía de buena socialización.

- Establecer y hacer cumplir medidas dirigidas a la prevención de formas de violencia contra transexuales en el ámbito escolar.
- Apoyar y proteger desde la escuela a las personas transexuales que sufren violencia y discriminación.
- Establecer las vías pertinentes para que las niñas y niños transexuales puedan ser llamadas/os en sus escuelas por el nombre correspondiente a la identidad de género asumida.

5. *Jurídico*

- Ley de identidad de género.
- Incluir el principio de no discriminación por identidad de género en otras legislaciones.
- Impulsar que la consideración penal de la discriminación, el acoso o las agresiones que pueda sufrir una persona por el hecho de ser transexual o transgénero sea la misma que reciben tales conductas cuando se cometen por motivo del sexo o la orientación sexual de la víctima.
- Fortalecer los componentes bioéticos del equipo de cirujanos plásticos para la determinación de la pertinencia de las cirugías de reasignación sexual sin que ello esté condicionado a tratamiento médico mínimo por un determinado plazo de tiempo.
- Establecer que las mujeres transexuales que aún no hubieran concluido la rectificación registral de la mención de su sexo puedan, previa acreditación debida de su condición transexual, ser consideradas como mujeres a los efectos de su protección frente a la violencia de género y de acceso a los recursos sociales a que estas corresponden.
- Ofrecer un asesoramiento jurídico adecuado en los servicios públicos de atención directa a personas transexuales.

6. *Información*

- Poner en marcha iniciativas que contribuyan a informar sobre el transgénero y la transexualidad, con el fin de superar los estereotipos y tabúes sociales existentes al respecto.

- Considerar la transexualidad una circunstancia personal consistente en el desarrollo de una identidad de género que no se corresponde con el género asignado al nacimiento, exenta de connotaciones peyorativas y estigmatizantes.
- Los medios de comunicación deben apropiarse de experiencias de buenas prácticas en la atención a la transexualidad, para lograr informar correctamente a la población.
- No permitir lenguaje transfóbico en los medios de comunicación.

7. *Cultura*

- Apoyar eventos culturales y artísticos de los colectivos de personas transexuales como una forma de reconocimiento a sus expresiones sociales.
- Apoyar marchas y acciones colectivas que involucren las aspiraciones, motivaciones y necesidades de las personas transexuales en la lucha contra la transfobia y otras formas de discriminación.
- Promover para las personas transexuales con condiciones artísticas de calidad, su presentación en espacios artísticos públicos.

8. *Policía*

- Desarrollar acciones de formación a directivos, funcionarios y actores en general de la Policía Nacional Revolucionaria en el tema de la transexualidad.
- Garantizar a la población transexual los principios constitucionales en los procesos policiales, en especial los relacionados con los derechos sexuales y por identidad de género.
- Realizar periódicamente una caracterización de las violaciones y del abuso policial sobre las personas transexuales.

Conclusiones y recomendaciones

Conclusiones generales

1. Las ciencias sociales y humanísticas realizaron aportes sustanciales a la comprensión del sistema de contradicciones existente en la relación sociedad-transexualidad. No obstante haber entrado tarde la ciencia sociológica al debate sobre la cuestión de género, sus aportes más prominentes se han realizado desde las teorías de la desviación social, el estigma, el rotulado, el poder, el conocimiento y el discurso.
   El enfoque crítico y autocrítico del que se fue apropiando el pensamiento sociológico en su desarrollo, tuvo su influencia en la reflexión acerca de lo que se identificó como desviación. Esta mirada más progresista realizó una gran contribución a la comprensión de la diversidad por concepto de orientación sexual e identidad de género, aunque es importante señalar que la superación de la desintegración social de las personas transexuales pasa necesariamente, por una parte, a través de la aplicación de normativas políticas que garanticen la concreción de la pluralidad y, por otra, a través del desarrollo de la conciencia crítica y la construcción de proyectos emancipadores de la sociedad civil, particularmente de las personas transexuales.
   A pesar de que en términos teóricos, tanto dentro de la sociología como de otras ciencias que estudian el género y la sexualidad, puede considerarse superado el enfoque analítico de las conductas desviadas, esta visión sigue teniendo influencia en las creencias que predominan y juzgan, pero también en algunas posiciones que, desde el amparo de las ciencias y las prácticas profesionales, permanecen atrincheradas, especialmente en el campo de la medicina, el derecho y la política.

Los hallazgos sociológicos respecto al tema pueden considerarse en esencia teoría crítica, pues se han elaborado y socializado a partir de una reflexión que no solo describe, sino que enjuicia normativamente las contradicciones respecto a este asunto y, además, formula propuestas. Un ejemplo actual lo constituye el análisis acerca de la contradicción patologización-despatologización de la transexualidad y la formulación de propuestas concretas en relación con la misma, que ayudan a la emancipación y dignificación de estas personas.

Los aportes de la sociología ponen al descubierto los límites democráticos y humanos de los sistemas de dominación; dan visibilidad a las desigualdades por género, identidad de género, orientación sexual y sus correspondientes consecuencias en términos de discriminación, exclusión y segmentación social para los grupos afectados; contribuyen al empoderamiento de grupos sociales excluidos y desintegrados socialmente por motivos de género e identidad de género; y ofrecen un marco interpretativo integrador e integral que pone en evidencias los mecanismos de dominación asociados a las desigualdades de género e identidades de género, que funcionan bajo el rol y el estatus de políticas, instituciones, leyes, servicios públicos, programas, proyectos,...

Los resultados aportados por las ciencias sociales en relación con las problemáticas de la transexualidad permiten afirmar que el afrontamiento y la superación de las mismas pasa esencialmente por las condiciones sociales en que se producen y reproducen estos procesos, y no a través de enfoques que centran la atención en las personas individualmente o a nivel grupal.

2. Como expresión particular de la diversidad que rompe con el enfoque del sistema sexo-género, servil a los intereses de dominación, la transexualidad ha constituido una experiencia de opresión social, con altos costos para el desarrollo humano de estas personas. La sociedad ha establecido mecanismos de control social sobre los cuerpos y las identidades con negativas implicaciones, lo que ha sido expresado por autores de diversas regiones y disciplinas científicas, y denunciado por las organizaciones de lesbianas, gays, bisexuales, transgéneros e intersexuales (LGBTI) y el movimiento feminista a nivel internacional.

   En la base de estas situaciones de no reconocimiento de derechos sexuales-humanos de las personas transexuales, se encuentra un tipo de organización sociopolítica cuya lógica se caracteriza, desde el punto de vista genésico, teleológico y funcional, por su carácter antihumano y por la necesidad de fragmentación de la sociedad con fines instrumentales al servicio de los grupos dominantes.

Los mecanismos más utilizados por la sociedad para el logro de tales propósitos han sido la Iglesia católica, las ciencias médicas y el derecho. La sistematización realizada en el marco de esta investigación permitió identificar cómo a través de diferentes etapas históricas se configuraron a escala internacional vías particulares relacionadas con el control de los cuerpos y la correspondiente producción de sentidos, y el uso del conocimiento, la ciencia y la moral, en función del poder transfóbico. En articulación con un conjunto de políticas públicas sectarias, enajenantes y discriminatorias, estos medios han tenido como modos esenciales de actuación, según las particularidades de cada uno de estos, la estigmatización patologizante y la exclusión social. La transfobia se adiciona al conjunto de aspectos que propician la exclusión social de las personas transexuales, con resultados condenatorios para sus vidas en lo individual, grupal y social.

Paradójicamente, las personas transexuales también forman parte del proceso de producción y reproducción de su propia discriminación, ya sea al compartir creencias, pautas de idealidad, estereotipos y prejuicios discriminatorios sobre sí y/o sobre otros grupos sociales, o al reproducir el binarismo de género, anclado en la naturalización de la diferenciación sexual. En cualquiera de los casos expresan insuficiente conciencia crítica acerca de sus expropiaciones históricas y limitan sus posibilidades como sujetos portadores y promotores de derecho.

3. Los aspectos que caracterizan la situación de desintegración social de las personas transexuales en Cuba, se asocian en lo fundamental a condiciones discriminatorias, de exclusión y segmentación social existentes en diversos ámbitos del desarrollo de su actividad cotidiana, entre las que se destacan: dificultades en la igualdad de acceso a oportunidades y resultados con respecto a su bienestar, y la existencia de múltiples formas de transfobia; obstáculos en la formulación de demandas, en el planteamiento de alternativas de solución a problemas que les afectan, en la participación para la toma de decisiones relacionadas con sus intereses,

y en la ejecución y control de lo que se decide en los ámbitos donde actúan, lo que se relaciona directamente con sus necesidades, aspiraciones y motivaciones; y distanciamiento entre las personas transexuales respecto a las normas y valores compartidos dentro de su propio grupo, pero también de estas personas respecto a las normas y valores compartidos con otros grupos en relación con su condición transexual, lo que permitió, por un lado, conocer la dinámica interna funcional de este grupo social cubano y, por otro, identificar su percepción acerca de los vínculos que sostienen con otros grupos sociales.

De manera resumida, puede decirse que las expresiones de exclusión más profundas, en su arista de limitación de derechos, acceso a oportunidades y logro de resultados, se aprecian en la dimensión económica, como obstáculos al logro de ingresos y bienestar material; en la dimensión político-institucional, como casi nulas posibilidades de participación activa y no reconocimiento de sus necesidades singulares en la institucionalidad pública y su marco normativo; y en la dimensión sociocultural, como inferiorización de su identidad de género.

En este trabajo también se aprecia la interrelación entre estas dimensiones en los procesos de exclusión social de las personas transexuales. Desde la perspectiva de la interseccionalidad aplicada a nuestro objeto de investigación (racismo, sexo, clase social, generaciones, filiación religiosa y otras inserciones sociales, junto a los diferentes contextos tanto históricos como sociales y políticos), configuran diferentes formas de discriminación hacia las personas transexuales, y por tanto han de analizarse de manera diferenciada. Todas estas circunstancias conforman experiencias de discriminación únicas, que han de abordarse en sus especificidades.

La investigación realizada, por ser el primer estudio de esta naturaleza que tiene lugar en nuestro país, se propuso dar prioridad analítica a la situación de desintegración social del conjunto de personas transexuales, lo que permitió identificar los aspectos de discriminación, exclusión y segmentación social que afectan al grupo de personas transexuales en la muestra seleccionada, representativo (90 %) de la totalidad de las personas que se han identificado como transexuales por la Comisión Nacional de

Atención Integral a Personas Transexuales, que son un total de treinta.

También se concebió, desde el punto de vista metodológico, identificar dentro de ese conjunto de personas transexuales estudiadas en cuáles de ellas recaía el mayor peso de desintegración social, lo que permitió conocer que las más afectadas son las más jóvenes, las que no tienen vínculo laboral y las de menor nivel de escolaridad, y que los más desintegradores son los ámbitos familiar, escolar, laboral y jurídico.

4. El presente estudio centró la atención de manera enfática en las condiciones sociales en que se produce y reproduce este proceso de discriminación, el papel de los agentes socializadores y sus manifestaciones e implicaciones para las personas transexuales.

Respecto a las condiciones sociales en que se desarrolla el proceso de integración social de las personas transexuales en Cuba según los doce ámbitos estudiados, se puede afirmar que sobre ellas es limitado el impacto de la justicia social y la participación, con implicaciones para su cohesión social. Se trata de elementos de desinserción de carácter general, con particularidades en cada uno de los ámbitos analizados. No obstante, los principales problemas respecto a la integración social de las personas transexuales en Cuba se expresan en los ámbitos familiar, educativo, laboral, jurídico y cultural.

Resultó interesante conocer cómo estos entornos más inmediatos y cercanos limitan la capacidad de desarrollo autónomo de estas personas y su influencia en la transformación de la sociedad, no obstante el marco general de justicia social desarrollado en Cuba a partir de la obra de la Revolución, que sirve como amortiguador del proceso de desintegración social de las personas transexuales.

El estudio realizado ofrece pistas relacionadas con la idea de que la transexualidad ha puesto en crisis al género, en el sentido de que rompe con el sistema sexo-género. Sin embargo, la solución que buscan las personas transexuales ante ese conflicto que les provoca malestar y sufrimiento, reproduce la normatividad del binarismo de género, legitima esa estructura binaria y la normaliza, según los patrones estereotipados dominantes, lo que pone en evidencia la limitada criticidad de estas personas en relación con la traumática situación que vivencian. Por supuesto, ello es coherente con el accionar de mecanismos sociales de poder que tienen como objetivo legitimar la diferencia de género a través de la simbolización de la sexuación.

Respecto al acceso de las personas transexuales a los recursos y beneficios de las políticas y servicios públicos, la investigación puso en evidencia que, de forma general, en nuestro país existe un vacío de políticas específicas que den respuesta a sus necesidades, intereses y aspiraciones, de lo que emanó la propuesta de la estrategia para la integración social de las personas transexuales.

Se necesita la interseccionalidad en los enfoques políticos para lograr una mejor atención a las desigualdades por parte de las instituciones. En Cuba, específicamente en los documentos rectores del Partido Comunista y en la legislación, se aprecia un avance en el reconocimiento de la necesidad de perfeccionar los mecanismos que faciliten la superación de las discriminaciones con enfoque integral, concediendo igual importancia a cada una de las desigualdades y sus correspondientes implicaciones. Sin embargo, aún persisten vacíos político-legislativos, y un ejemplo es la discriminación por identidad de género.

La estrategia que se propone, toma en cuenta que los procesos de transformación social están acompañados de disímiles cambios en las estructuras, organizaciones y grupos sociales en que se insertan las personas transexuales. La relación sociedad-transexualidad comprende la reciprocidad evidente entre estos elementos.

Las personas transexuales, como grupo social, se constituyen y desarrollan en función de sus interrelaciones con las demás instituciones sociales, por lo que no deberían visualizarse de manera aislada de las determinaciones sociales más amplias. Las problemáticas de este grupo social deben atenderse desde las políticas públicas, teniendo en cuenta dimensiones relacionadas con lo material-económico, lo simbólico-cultural y lo político-jurídico, presentes y confluyentes en cada uno de los acontecimientos y relaciones sociales de la vida cotidiana.

Al formar parte de la unidad social, las personas transexuales reproducen en su interior los procesos que operan en el organismo social en su conjunto, por lo que constituyen un elemento estructural del mismo. Esto indica la necesidad de estudiar su dinámica interna como grupo social (microsocial).

Actualmente, a nivel internacional avanzan cada vez más las propuestas de atender las problemáticas de género e identidad de género a través de las subpolíticas (iniciativas políticas surgidas desde fuera de las instituciones). Ello le ha impreso un dinamismo particular al tema y a las funciones de las políticas, que aleja a los Estados del cumplimiento de sus responsabilidades, para situar la tarea de manera protagónica en la sociedad civil que, sin la participación del Estado, no puede transformar la sociedad. Nada más parecido al juego del neoliberalismo en su afán de debilitar los Estados nacionales y desproteger a las poblaciones menos beneficiadas.

La legitimidad de los temas *género* e *identidad de género* en las prácticas gubernamentales presupone un permanente proceso de reflexión, preparación, incorporación de resultados científicos y asesoría a decisoras y decisores por parte de las instituciones especializadas. Este proceso de institucionalización no transcurre de forma lineal y tampoco alcanza los resultados en correspondencia con las expectativas de los grupos que los necesitan. En este sentido, es muy importante potenciar la participación más activa de las instituciones, y al mismo tiempo reforzar los diálogos entre estas y las organizaciones de la sociedad civil para que tengan en cuenta la diversidad cultural de identidades y eviten la discriminación, la injusticia y la exclusión social.

Recomendaciones

Al Buró Político del Comité Central del Partido Comunista de Cuba (PCC), valorar la pertinencia de orientar la aplicación de la estrategia para la integración social de personas transexuales, y especialmente:

1. La introducción en la práctica social del sistema de acciones para el perfeccionamiento de las políticas públicas, dirigidas a la integración social de las personas transexuales en los ámbitos laboral, jurídico, educacional, cultural, de salud, de la información y de la policía.
2 Promover un diálogo político que facilite la aprobación de una ley de identidad de género, como marco jurídico que propicie el respeto de los derechos por identidades de género.

3. Facilitar la aplicación del curso de sensibilización en educación integral de la sexualidad y promoción de salud sexual a actores sociales de los diferentes Organismos de la Administración Central del Estado, con énfasis en aquellos que, según los resultados de esta investigación, generan mayor desintegración social de las personas transexuales.

Al Centro Nacional de Educación Sexual (CENESEX):

1. Dar continuidad a este resultado a través de su política científica.
2. Implementar la capacitación de las personas transexuales y sus familias.
3. Fortalecer la capacitación de especialistas que integran la Comisión Nacional de Atención Integral a Personas Transexuales.
4. Monitorear y evaluar las acciones de la estrategia propuesta, a través del Programa Nacional de Educación y Salud Sexual (PRONESS).

A manera de epílogo

La lectura de un libro se convierte para muchos en un diálogo en el que surgen interrogantes que no siempre encuentran respuestas. En esta oportunidad, por tratarse de la defensa de un resultado de investigación doctoral, las preguntas requirieron de respuestas inmediatas.

Les presento aquellas que podrían dar continuidad al intercambio de ustedes, lectores y lectoras, con la propuesta de Estrategia y acciones para el logro de la mayor integración posible de las personas trans, como garantía de una sociedad cubana más inclusiva y justa.

Preguntas

- ¿Por qué no integró más en su investigación los aportes de la teoría queer a los estudios de género, cuando precisamente ellos pretenden romper con los enfoques binarios?
- ¿Qué grado de factibilidad ve usted a la aplicación de la Estrategia que propone teniendo en cuenta la propia caracterización que ha realizado del contexto actual de la sociedad cubana?
- ¿Pudiera relacionar el enfoque de derecho, en particular de derecho sexual, con la Estrategia para la integración social de las personas transexuales en el contexto actual de la sociedad cubana?
- A lo largo de su informe de investigación usted se refiere a las legislaciones, políticas sociales y a ciertos aspectos de los programas para integrar a personas transexuales que se han desarrollado en diferentes países. ¿Podría usted resumir cuáles serían las experiencias positivas y negativas que

consideraría de algunos de estos países para perfeccionar la Estrategia que propone?

- Usted propone que cada uno de los Organismos de la Administración Central del Estado debe decidir cómo formular sus programas y acciones para perfeccionar las políticas públicas dirigidas a la integración social de las personas transexuales según los principios de la Estrategia. En su condición de socióloga y pedagoga le pido que formule resumidamente cómo sugeriría al Ministerio de Educación que enuncie y ponga en práctica esta Estrategia a mediano y largo plazo.

Los aportes de la teoría queer a los estudios de género: recapitulando

Reconozco la importancia de los aportes de la teoría queer a los estudios de género, sobre todo los que permiten la comprensión del tema de la transexualidad en lo que concierne a la superación de las posiciones binarias y heteronormativas. La investigación incorporó estas nociones en la construcción de sus posicionamientos teórico-metodológicos y consecuentemente en el diseño de la estrategia de integración social.

Desde las primeras páginas introduce el negativo impacto producido a lo largo de la historia por el pensamiento dualista y su expresión en la dicotomía masculino-femenina como una de las más resistentes al cambio, y el cuestionamiento desplegado en el desarrollo de las ciencias sociales y humanísticas, en lo que han desempeñado un papel fundamental los aportes del feminismo, corriente de pensamiento con la que se identifican importantes representantes de la teoría queer, aunque desde un posicionamiento crítico, como es el de la filósofa Judith Butler, quien desde la década de los noventa comenzó a desempeñar un rol fundamental en el análisis de la relación sexo-género, pues en su concepción del género como *performance* sitúa la mirada en el proceso de internalización e innovación en el que participan las personas para construir su identidad y no como una expresión inamovible, producto de la diferencia sexual. Ella enfatiza en el lado activo, innovador y creativo de los seres humanos al construir y desarrollar su condición genérica. Señala que la diferencia sexual se reproduce a través de la simbolización de la sexuación producida por las personas.

Estas ideas significaron un giro total en el tratamiento que hasta ese momento venía ofreciendo el feminismo a la relación sexo-género. Se puede apreciar cierto distanciamiento entre sus posiciones y las de las feministas de la segunda ola, que significaban la idea de la diferencia entre sexo y género, y el condicionamiento del segundo por el primero. Judith Butler estudia profundamente el mecanismo heterosexual y su normatividad, y comprende el papel preponderante que en el mismo juega la reproducción.

Las experiencias de las personas trans fueron el sustrato que facilitó a Butler comprender que la identidad de género no se construye sobre la base de la diferencia sexual, sino en un proceso cultural de reproducción y producción por parte de las personas, de normas y expectativas sociales vinculadas con el género. Al argumentar cómo la subjetividad construye la visión binaria de las diferencias sexuales a partir de la influencia de lo socialmente establecido y lo presenta como lo natural y normal, Butler expresa su posición respecto al papel rector de lo simbólico cultural en la relación sexo-género y realiza una contundente crítica a las visiones que veían la base del género en lo cromosómico y anatómico. Al respecto, plantea que si el género es construido, también puede ser deconstruido. Por esta razón, a diferencia de las feministas, ella no separa las categorías *sexo* y *género*. Su posición revolucionó el pensamiento social y se caracterizó por su alto contenido político al fundamentar cómo el enfoque binario de género servía a los fines de la exclusión y la opresión sociales.

En el caso de las personas trans y queer, Butler sostiene la idea de que como las mismas se apartan de los patrones dominantes respecto al género, se identificaron como anomalías, lo que servía a los intereses dominantes, por una parte, para legitimar las normas y expectativas establecidas respecto al binarismo y, por otra, para incorporar esta experiencia diferente a los mecanismos de comercialización del cuerpo y su control, algo muy coherente con la lógica del capital y sus implicaciones en términos de exclusión y opresión sociales. Por lo tanto, se puede afirmar que los aportes de Judith Butler se encuentran en el campo del desarrollo del pensamiento y en el de la política.

En la misma dirección epistemológica de Butler se pronunciaron algunas feministas como Donna J. Haraway, quien en 1995 afirmó que la distinción entre sexo y género no es adecuada, ya que responde a la trampa de una *lógica apropiacionista de dominación construida* dentro de las dicotomías androcéntricas de la epistemología moderna, es decir, al dualismo naturaleza/sociedad (Haraway, 1995). La epistemología feminista rompe así con esas dicotomías, y la influencia de Butler es esencial en ello.

También Susana Narotzky ofrece en ese mismo año una definición de género y sexo que expresa la misma idea como conceptos, pues ambos, sexo y género, son constructos culturales y sociales. Sin embargo, el sexo tiene un núcleo biológico irrecusable: la sexualidad reproductiva de la especie. El género es un concepto ligado a la reproducción social en su totalidad y, por consiguiente, la reproducción biológica (el sexo) puede y suele ser uno de sus componentes, pero no lo es *ab initio* como núcleo de su definición, y podemos teóricamente imaginar sociedades en las que no lo fuera. Podríamos decir que donde termina el sexo continúa y/o empieza el género, pero también que las relaciones de género (aunque no solo estas) inciden en la construcción social del sexo (Narotzky, 1995).

La influencia del feminismo y de la teoría queer ha permitido llegar a la idea de que la estrategia de integración social de las personas transexuales no solo debe dirigirse hacia la sociedad, en el sentido de lo que le correspondería hacer a esta para integrar a las personas transexuales, sino también hacia las propias personas transexuales para que participen en la deconstrucción del modelo binario de género, diseñado para producir relaciones de dominación, en vez de reforzarlo con sus mecanismos de adaptación y aceptación, según las rígidas normas sociales establecidas, como se puede apreciar actualmente en la práctica social, lo que no contribuye a la emancipación de las personas transexuales.

Quisiera añadir que en el proceso de investigación he identificado posiciones teóricas que reconocen la existencia de puntos de encuentro y de fricción entre la teoría queer y los estudios de género.

Entre los elementos positivos de la teoría queer, comunes a otros movimientos sociales, especialmente a los identitarios, se destacan:

- Reconocer la identidad como una herramienta útil para orientar las luchas cuando es un procedimiento para fomentar relaciones sociales y de placer sexual que determinen vínculos amistosos, como ha sostenido Foucault.

- Al prestar la teoría queer atención a la interseccionalidad de las diferentes identidades, pone al descubierto los mecanismos universales de opresión que se expresan en el binarismo de género y la heteronormatividad, que implican una resistencia frente a estos mecanismos, empleada en las luchas de los movimientos sociales identitarios.
- El nivel de análisis de la teoría queer ha sido de gran utilidad para mostrar la importancia de la diversidad que generan los procesos de subjetivación en la actualidad, y cuya complejidad sobrepasa las posibilidades de acción de los movimientos identitarios, que los limitan más que liberan, en el plano de las prácticas políticas.
- La teorización queer del deseo se considera un aporte, al utilizar el pensamiento de Foucault sobre la necesidad de no separar el deseo de las variables sociales y económicas, con un enfoque ético que vaya más allá del deseo. Foucault hace énfasis en que la percepción del deseo está mediatizada por el poder.
- Una de las enseñanzas más útiles de la teoría queer es la importancia de entender la diversidad, lo que nos hace diferentes a los otros, y defenderla dentro de las diferentes situaciones en que nos involucremos.

Entre las críticas realizadas a la teoría queer en su relación con los estudios de género, se pueden mencionar, en opinión de la socióloga española Susana López Penedo, las siguientes:

- La teoría queer mantiene a los movimientos sociales identitarios atrapados en un círculo vicioso que los debilita, porque el propio discurso identitario, al basarse en la *mismidad* del sujeto, solo genera prácticas individuales que limitan la acción colectiva. Para ello es necesario superar el análisis y la acción política individual para construir estrategias como políticas que incorporen elementos macro y micro. El problema está en que estos anhelos no se pueden centrar en el individuo como escenario de su realización, pues han de socializarse para que realmente puedan servir como motores de cambio social.

- La teoría queer define al sujeto a través de sus prácticas sexuales, pero estas prácticas no surgen de la nada; son producto de procesos históricos y de contextos sociales determinados. Ni el sadomasoquismo ni el uso de juguetes sexuales ni el sexo con varias personas, independientemente de su género, ya sea a la vez o en alternancia, es algo que la praxis queer haya inventado. Su reivindicación y celebración pueden ser muy loables, pero no son ajenas a unas condiciones de producción que han de tenerse en cuenta y analizarse.
- Las condiciones de producción de la teoría queer explican por qué estas prácticas, lejos de oponerse al neoliberalismo, lo refuerzan. Esa individualidad ignorante de la organización colectiva y la solidaridad está dejando las puertas abiertas para que los gobiernos emprendan acciones cada vez más agresivas hacia la limitación de derechos humanos básicos a todos los niveles. Ante este panorama —con unos gobiernos sin poder real, secuestrados por superestructuras internacionales como la Unión Europea y el Banco Europeo, y por las grandes corporaciones que controlan la Organización Mundial de Comercio— pocas alternativas quedan más allá de una vuelta a la acción colectiva.

Esta es la razón por la cual la Estrategia que se propone incorpora los aspectos positivos de la teoría queer anteriormente referidos, pero no aquellos que contribuyen a la reproducción de la enajenación, discriminación y exclusión social. En este sentido se utiliza el concepto de transexualidad, consciente de su origen patologizador y dominador, pero resignificándolo en clave emancipadora para reconocer a estas personas como sujetos de necesidades particulares y de derechos ciudadanos, y a través de la Estrategia facilitar su participación en espacios colectivos de transformación social.

Factibilidad de la Estrategia y contexto cubano actual

Resulta obvio que la postura de la autora es que la Estrategia que se propone es factible y tiene capacidad para generar los cambios positivos que definen sus objetivos. Como toda política social que se propone fomentar transformaciones de cierta radicalidad, en la práctica esta Estrategia encontrará elementos favorecedores, así como barreras que limitarán sus posibilidades de actuación.

Entre las barreras identificadas sobresalen:

- El conjunto de saberes, experiencias, símbolos construidos y reproducidos por muchos años que legitiman el modelo binario de género, el modelo hegemónico de masculinidad y la heteronormatividad. Estas resistencias se vivencian como naturales y normales por una parte de la sociedad y de las personas que tienen la responsabilidad social de producir ciencia, comunicar, educar y decidir.
- Las agendas públicas se han centrado en un enfoque limitado, excluyente y parcializado de género al no dar una respuesta suficiente a las contradicciones y necesidades de hombres, mujeres y personas trans por igual.
- Resistencias al cambio desde posiciones tradicionales, que apelan al segmento más retrógrado de la opinión pública.
- Una marcada oposición a modificaciones e innovaciones de naturaleza jurídica, especialmente hacia aquellas que reivindican derechos específicos como los vinculados a la libre orientación sexual e identidad de género.

Entre los factores de viabilidad que hemos considerado, se encuentran los siguientes:

- Una tradición precedente de políticas de inclusión y justicia social.
- Una labor consolidada de educación de la sexualidad y la salud sexual que ha colocado el tema en las agendas públicas, con significativos avances en la sensibilización de la población.
- Existencia de instituciones reconocidas a nivel nacional e internacional, con experticia en el tratamiento de los temas de la diversidad de identidades de género.
- Voluntad política y sensibilidad de una parte de las decisoras y decisores, así como de la sociedad civil cubana.

- El proceso de reformas en curso utiliza instrumentos de descentralización y municipalización que contribuyen a fortalecer e instaurar espacios de toma de decisiones y generación de fuentes de financiamiento.

Con el fin de que las acciones para la integración social de las personas transexuales logren ejercer un impacto efectivo, no deben enmarcarse en políticas sectoriales, sino integrarse y orientarse hacia la sociedad como unidad en su diversidad, lo que permitirá una evaluación real de las mismas sobre la estructura, el funcionamiento y la calidad de vida de los diferentes grupos sociales que la integran. Prestar la debida atención a estos aspectos por parte de la sociedad cubana reviste una gran importancia por su incidencia profunda en el funcionamiento de la sociedad en su conjunto y, consecuentemente, en la actitud emancipada, justa, participativa y cohesionada de las nuevas generaciones.

Para vivir en diversidad es necesario aprender a vivir en comunidad, lo que significa potenciar la conciencia crítica de la sociedad en torno a las contradicciones que están en la base de los prejuicios y estereotipos que obstaculizan la integración social de las personas transexuales.

La sociedad cubana contemporánea es un escenario de contradicciones entre los modelos de dominación, históricamente heredados de los sistemas colonial y neocolonial, y su proyecto revolucionario emancipador. Se ha demostrado que, no obstante la influencia de las políticas y servicios públicos implementados en Cuba a partir del triunfo de la Revolución —caracterizados esencialmente por su enfoque de justicia social y de beneficios para las mujeres, la infancia y la juventud, con un impacto muy positivo en la sociedad y sobre todo en estos grupos—, perduran procesos de reproducción de desigualdades vinculadas a las identidades de género y asociadas a factores económicos, políticos, culturales y jurídicos, que tienen como telón de fondo la ausencia de un enfoque teórico consensuado respecto al tema *género*, lo que continúa siendo un reto de las ciencias sociales cubanas, en su función crítica, diagnóstica, prospectiva y propositiva.

El contexto sociopolítico cubano favorece la adopción de medidas que faciliten superar los obstáculos a la integración social de las personas transexuales. Los acuerdos del Sexto Congreso del Partido Comunista de Cuba y su Primera Conferencia se proyectan hacia la eliminación de todo tipo de discriminación, lo que ha tenido su impacto en otros espacios de reflexión políticos, jurídicos y culturales que se están desarrollando en Cuba.

Enfoque de derechos: un pilar fundamental en la Estrategia para la integración social de las personas transexuales

La propuesta de política para la integración social de las personas transexuales optó por el enfoque de derechos sexuales como derechos humanos, sobre la base de que este enfoque resulta pilar fundamental en los procesos de elaboración de políticas públicas. En cualquier contexto la identificación de derechos vulnerados y los mecanismos para hacer efectivo su disfrute (garantías institucionales, procesales y materiales), constituyen un ejercicio necesario en el mencionado proceso de diseño de políticas públicas.

Si se tiene en cuenta lo anterior, este enfoque es reconocido como uno de los más avanzados por los beneficios que genera para las personas a las que se aplica la política de que se trate en términos de reconocimiento y garantía de derechos humanos.

Tales beneficios se derivan del énfasis en la ciudadanía inalienable, en políticas y acciones que no revictimizan ni inferiorizan a sus sujetos, puesto que no se orientan a proteger o asistenciar minusvalías, sino a reivindicar a personas o grupos sociales cuyo acceso a derechos se ve limitado por mecanismos e instituciones sociales que reproducen relaciones excluyentes, aun sin proponérselo.

El documento «Salud sexual para el milenio», emitido por la World Association for Sexual Health (WAS) (2008), identifica y examina ocho metas concretas que comprenden «un enfoque integrado e integral de promoción de la salud sexual», una cuestión que conectaba directamente con la ejecución de los Objetivos de Desarrollo del Milenio y con los actualmente debatidos Objetivos de Desarrollo Sostenible. No en balde la primera de estas metas alude al reconocimiento, promoción, garantía y consecuente protección de los derechos sexuales como derechos humanos. Además, plantea que la ubicación de los derechos sexuales dentro de los derechos humanos resulta una condición indispensable para abogar de modo efectivo por la salud sexual.

Vemos cómo las principales iniciativas internacionales ligadas a la promoción de salud sexual han tenido como basamento fundamental el hecho de que la realización de los derechos humanos está vinculada de modo indisoluble al logro de aquellos identificados como derechos sexuales. En este sentido deben citarse la Declaración de Derechos Sexuales, de la Asociación Mundial para la Salud Sexual (WAS) de 1999, y las Definiciones de Trabajo de los Derechos Sexuales, de la Organización Mundial de la Salud (OMS) de 2002.

Para la elaboración de la estrategia se asumen los principios del Programa Nacional de Educación y Salud Sexual elaborados por expertas y expertos del Centro Nacional de Educación Sexual (CENESEX) y de diferentes Organismos de la Administración Central del Estado y organizaciones sociales que están más comprometidas con este programa. Entre estos principios se destaca el enfoque de derechos de la Educación Integral de la Sexualidad en Cuba. Sobre esta base se asumen y promueven los derechos sexuales como derechos humanos universales basados en la libertad, dignidad e igualdad inherentes a todos los seres humanos, como se expresa en la Declaración de Derechos Sexuales, de la Asociación Mundial de Salud Sexual.

Es importante destacar que en el ordenamiento jurídico cubano se han incorporado, desde 1959 a la actualidad, la mayoría de estos derechos sexuales, pero apenas se han incluido los relacionados con la orientación sexual e identidad de género.

La investigación realizada demuestra que en la Cuba actual existen procesos de exclusión y limitación de derechos para las personas transexuales. Resultan muy limitadas las garantías de los derechos sexuales vinculados a asegurarles a las personas el libre desarrollo de sus orientaciones sexuales e identidades de género, lo que, según Vázquez Seijido (2014), «genera un débil diseño de las garantías jurisdiccionales que aseguren la vía procesal para la actuación ante vulneración, o las instituciones ante las cuales reclamar la vulneración o las condiciones materiales que aseguren el pleno disfrute y ejercicio de tales derechos humanos».

La Estrategia que se propone, pretende aportar elementos que tributan al reconocimiento y ejercicio pleno de los derechos sexuales por nuestra ciudadanía, y en este caso específico mediante normas jurídicas sobre la identidad de género que no solo beneficien a las personas transexuales y sus familias, sino también a la población transgénero en sentido general. Digo esto porque pretendemos beneficiar a otras transidentidades y a las personas intersexuales.

En coherencia con el enfoque de derechos, los principios propuestos en la Estrategia son los siguientes:

- reconocimiento y respeto a la diversidad de identidades de género;
- no discriminación por concepto de identidad de género;
- igualdad de resultados;
- necesidad de diferentes opciones en término de propuestas de soluciones;
- involucración de la opinión pública;
- ciudadanía activa;
- lo local-comunitario como ámbito y cualidad;
- control social sustentado en el reconocimiento de las identidades de género.

Existe consenso en la literatura científica internacional sobre el reconocimiento de la necesidad de una respuesta social integral a la situación que viven las personas transexuales y en particular sobre el papel de las transformaciones culturales como vía que contribuya a la superación de estereotipos y prejuicios asociados a la diversidad sexual y que promueva un nuevo modo de convivencia humana sobre bases comunitarias. También se alzan cada vez más voces que abogan por la implementación de normas jurídicas antidiscriminatorias que protejan de manera eficiente a las personas en relación con su identidad de género.

El término *identidad de género* es reconocido por la comunidad internacional a través de la Declaración sobre Orientación Sexual e Identidad de Género, presentada a la Asamblea General de las Naciones Unidas (ONU) el 18 de diciembre de 2008. En este texto se condena la violencia, el acoso, la discriminación, la exclusión, la estigmatización y el prejuicio basado en la orientación sexual y la identidad de género. Cuba figura como uno de los países firmantes de esta Declaración.

El Consejo de Derechos Humanos de la ONU aprobó, en 2011, la «Resolución sobre la violación de los derechos humanos de lesbianas, gays, bisexuales, travestis y transexuales (LGBT)», en la que se define la discriminación para estos grupos como cualquier medida o acción que promueva distinción, exclusión, restricción o preferencia por motivos de orientación sexual e identidad de género, que tenga como propósito anular o perjudicar el reconocimiento, gozo y ejercicio en pie de igualdad de los derechos humanos y las libertades fundamentales en el campo económico, social, cultural o en cualquier otro de la vida pública.

En 2014, la ONU dio otro paso muy importante al aprobar la «Resolución sobre derechos humanos, orientación sexual e identidad de género», de su Consejo de Derechos Humanos.

La aprobación de la referida resolución de Naciones Unidas constituyó un importante logro en la defensa de los principios de la Declaración Universal de los Derechos Humanos y dio continuidad a la resolución adoptada en junio de 2011, cuando el Consejo aprobó la primera Resolución de Naciones Unidas sobre esta materia. La resolución pide al Alto Comisionado de los Derechos Humanos que actualice el estudio sobre violencia y discriminación basadas en la orientación sexual e identidad de género de 2012 (A/HRC/19/41), socializando las buenas prácticas en los mecanismos de combatir y prevenir la violencia y la discriminación por motivos de orientación sexual e identidad de género, lo que resulta demostrativo de que estas cuestiones siguen siendo una preocupación contenida en la agenda del Consejo de Derechos Humanos. Destaca además el liderazgo de la región latinoamericana con sus aportes nacionales y regionales en la salvaguarda de los derechos LGBTI, así como el compromiso de sus gobiernos y activistas.

Legislaciones y políticas sociales: experiencias de referencia

En América Latina existe un reconocimiento expreso a la no discriminación por identidad de género y el reconocimiento de esta como un derecho:

1. En la Constitución política del Estado Plurinacional de Bolivia se prohíbe toda forma de discriminación basada en orientación sexual

e *identidad de género* y se incluye una regulación extensa de las posibles causas que pueden generar hechos discriminatorios.

2. El texto constitucional del Ecuador, en su artículo referido a los principios de aplicación de los derechos, refrenda que nadie podrá ser discriminado por razones de sexo, orientación sexual, *identidad de género*, portar VIH/sida o discapacidad, entre otras.
3. En el ordenamiento jurídico de la República Bolivariana de Venezuela, se advierte un extenso tratamiento jurídico a la *identidad de género*, incluyéndolo como causal de discriminación en varios ámbitos: Ley del Poder Popular, Ley de Regulación y Control de Arrendamientos de Viviendas, Ley Orgánica del Registro Civil y Ley de Instituciones del Sector Bancario.
4. Argentina cuenta con la Ley sobre Identidad de Género más avanzada a nivel internacional. En el artículo 1 se reconoce el derecho a la identidad de género de las personas, lo que implica el derecho a su reconocimiento, al libre desarrollo de su persona —conforme a su *identidad de género*— a ser tratada de acuerdo con su *identidad de género* y a ser identificada de ese modo en los documentos que acreditan su identidad. En el artículo 2, la ley define expresamente la *identidad de género* como: la vivencia interna o individual de género tal como cada persona la siente, la cual puede corresponder o no con el sexo asignado al momento del nacimiento, incluyendo la vivencia personal del cuerpo.
5. La República Oriental del Uruguay cuenta con una Ley sobre el Derecho a la Identidad de Género y al cambio de nombre y sexo en documentos identificatorios. Aunque no se define el término, se reconoce el derecho de toda persona al libre desarrollo de su personalidad conforme a su propia *identidad de género*, con independencia de cuál sea su sexo biológico, genético, anatómico, morfológico, hormonal, de asignación u otro. Este derecho incluye ser identificado/a de forma que se reconozca la *identidad de género* y la consonancia entre esta identidad y el nombre y sexo señalado en los documentos de identidad.
6. En Europa se destaca la ley española de identidad de género, que permite que la inicial asignación registral del sexo y del nombre propio puedan ser modificables.

En resumen, el aspecto negativo más señalado y que de alguna manera comparten todos los sesenta y ocho países con norma relativa a la identidad de género, es la débil concreción de sus avanzadas legislaciones en políticas integrales de inclusión social. A esta limitación se añaden los altos costos de los servicios de salud específicos para las personas transexuales en la mayoría de los países, y la exigencia de esterilización y/o cirugía de readecuación genital para acceder a sus derechos en veintiséis países (Grecia, Italia, Luxemburgo, República Checa, Suiza y Ucrania, entre otros).

A partir de los avances y limitaciones identificadas en las experiencias internacionales, la Estrategia que se propone tomó y recreó para el contexto cubano algunos preceptos básicos:

- la comprensión de los derechos sexuales como derechos humanos;
- el conocimiento de la realidad transexual que es necesario transformar;
- el enfoque científico que sostiene la propuesta que se formula;
- la importancia de la capacitación de funcionarios/as públicos/as;
- el reconocimiento del derecho a la identidad, que permite el acceso a otros.

Cuba es internacionalmente reconocida como un país de avances sustantivos en el enfoque integral de la política de educación de la sexualidad, que contempla los derechos sexuales como derechos humanos. Sin embargo, aún debe enfrentar el reto de establecer un marco jurídico normativo que reconozca y garantice los derechos de las personas LGBTI.

Ministerio de Educación: Sistemas de acciones

El Ministerio de Educación (MINED) ha sido un actor clave en el desarrollo del Programa Nacional de Educación Sexual; fue de los primeros OACE en elaborar su propio programa desde 1996, lo que quedó materializado en la Resolución 139, firmada por la Ministra de ese organismo en el año 2011. En la actualidad se desarrolla un trabajo conjunto entre el CENESEX y el MINED que abarca las siguientes acciones:

1. La actualización del PRONES con la participación de representantes del MINED, en cuya propuesta ya estamos hablando de Programa Nacional de Educación y Salud Sexual (PRONESS).
2. Participación en talleres y eventos científicos nacionales e internacionales de conjunto con el MINED, en los que se han abordado las principales concepciones teóricas sobre el tema.
3. El análisis conjunto de documentos normativos que constituyen el soporte legal del trabajo en educación integral de la sexualidad del MINED como la Resolución 139/2011, que pone en vigor el Programa Nacional de Educación Sexual con enfoque de género y derechos sexuales.
4. La coordinación con el MINED para la participación de funcionarios/as y docentes en espacios de sensibilización.
5. Participación de representantes del CENESEX en reuniones nacionales con asesores de salud escolar de las provincias y universidades de ciencias pedagógicas y en talleres de capacitación a cuadros, funcionarios y docentes del MINED.
6. Talleres de diálogo para el perfeccionamiento de los indicadores de monitoreo y evaluación del PRONESS en el marco del Proyecto «Educación de la sexualidad desde los enfoques de género, de derecho y sociocultural en el sistema educacional».
7. Revisión por parte de especialistas del PRONESS de materiales metodológicos, elaborados por el MINED, para la preparación de docentes en formación y en ejercicio.
8. Participación de especialistas del CENESEX/MINED en la planta de maestrías, pasantías y tribunales de defensa de tesis de grado.

No obstante este trabajo conjunto, la atención específica al tema de la diversidad de orientaciones sexuales e identidades de género por parte de las instituciones educativas todavía tiene importantes *retos por lograr*.

Las instituciones educativas contribuyen a la socialización de la personalidad. Son catalizadoras o inhibidoras de las concepciones acerca de las problemáticas de género e identidades de género.

Este proceso está condicionado por el nivel de verticalismo u horizontalidad que caracterice el trabajo sociocultural del MINED y de las localidades donde las instituciones escolares desarrollan sus actividades. Cuando prevalece el verticalismo y la centralización, las instituciones educativas podrían no tomar en cuenta suficientemente la diversidad de necesidades de educación de la sexualidad de la población con la que trabaja, lo que legitimaría el carácter homogéneo de su actividad.

En el ejemplo de Cuba, las limitaciones detectadas en la preparación del personal educativo, y sobre todo del docente, acerca de las temáticas de género e identidad de género, según las propias investigaciones del MINED, dificultan la orientación educativa sobre estos temas a padres y madres. También se han constatado las debilidades del personal educativo escolar para atender adecuadamente los intereses de la familia, en particular aquellos relacionados con las contradicciones y conflictos vivenciados por el alumnado en los complejos temas de la sexualidad.

A su vez, el discurso sexista contenido en los textos escolares y el lenguaje cotidiano empleado por las/los docentes sobre estos temas, no contribuyen a que la escuela socialice suficientemente el mensaje ideológico del PRONESS en un ambiente educativo solidario y crítico ante las diferentes expresiones de discriminación, exclusión y segmentación social.

Esta situación se agudiza por la complejidad que encierra la aplicación de los resultados investigativos a los programas curriculares en los diferentes niveles de enseñanza. En este sentido, resulta de suma importancia que en las escuelas se actualicen los diagnósticos que permitan identificar las necesidades de sus educandos en materia de Educación Integral de la Sexualidad; se desarrollen actividades mejor integradas al contexto comunitario, con la participación del profesorado y el alumnado; se capaciten a docentes y trabajadores educativos; se incluyan nuevos contenidos curriculares adecuados a las necesidades identificadas; se involucre más a la comunidad educativa en el tratamiento de estos temas; y se perfeccionen sus redes de colaboración con otros actores vinculados a la vida de niños, niñas, adolescentes y jóvenes.

Estos retos no solo dependen de los esfuerzos del MINED. En los esfuerzos conjuntos MINED-CENESEX actualmente se trabaja en los siguientes objetivos:

1. Sistematizar el asesoramiento a las estructuras de dirección de las instituciones de educación en lo referido a la atención a la diversidad sexual y específicamente las identidades de género.
2. Extender el tratamiento de estos temas al trabajo con las familias y otras instituciones y espacios de la comunidad.
3. Elaborar materiales bibliográficos sobre estas temáticas, teniendo en cuenta las particularidades de los diferentes niveles educativos.
4. Sistematizar la preparación del personal docente y no docente en estos temas.
5. Lograr integralidad en el sistema de influencias educativas sobre el tratamiento a la diversidad sexual desde los diferentes agentes socializadores, con el fin de ganar respeto y apoyo desde la escuela, la familia y la comunidad hacia las personas transexuales.
6. Establecer mecanismos de seguimiento y evaluación acerca del comportamiento de la retención y deserción escolar de las personas transgénero, para disponer de información sobre la violencia homofóbica y transfóbica en las instituciones y adoptar las medidas que correspondan.

Respecto a la utilización de los resultados de la presente investigación y su aplicación específica en el MINED, sugiero además:

1. Socializar los resultados de esta investigación en diferentes estructuras del MINED, con énfasis en su nivel central y en los centros de formación de docentes de todos los niveles del sistema educacional.
2. Sistematizar el asesoramiento científico en los temas referidos a integrantes del Departamento de Salud Escolar del MINED y las cátedras «Escuela, salud y sexualidad» de las universidades de ciencias pedagógicas y las universidades integradas, dada su responsabilidad en la implementación del PRONESS.
3. Socializar los resultados de las investigaciones del MINED realizadas en los centros de formación docente, sobre la sexualidad con enfoque de género y derechos sexuales.

Lectores y lectoras, la investigación que dio lugar a este libro está cerrada, pero aún queda mucho por hacer, por lo que no es un punto final, sino un punto de continuidad en aras del logro de la integración social de las personas transexuales en Cuba.

Referencias bibliográficas

Alfonso, A. C., y Rodríguez, R. M. (2008). Personas transexuales y familia. En el límite de la invisibilidad. En M. Castro Espín (Comp.). *La transexualidad en Cuba* (pp. 105-122). La Habana: Editorial CENESEX.

Alfonso, A., y Rodríguez, M. (2014). *Sistematización de la experiencia del grupo Trans Cuba*. Ponencia presentada en la Conferencia Internacional «Géneros, cultura, sociedades. Preguntas sobre la transexualidad», marzo, París. Centro de Documentación e Información Científico-Técnica, CENESEX, La Habana.

Alonso Freyre, J. *et al.* (2004). *El autodesarrollo comunitario: crítica a las mediaciones sociales recurrentes de la emancipación humana*. Santa Clara: Ed. Feijoo.

ARARTEKO (Defensoría del Pueblo) (2009). *La situación de las personas transgénero y transexuales en Euskadi*. Vitoria-Gasteiz: Autor.

Arrietti, L., Ballarin, C., Cuccio, G., y Marcasciano, P. (2010). *Elementi di critica trans*. Roma: Manifestolibri.

Becerra Fernández, A. (Comp.). (2003). *Transexualidad: la búsqueda de una identidad*. Madrid: Díaz de Santos.

Biglia, B., y Lloret, I. (2010). Generando géneros y patologizando sujetos. En M. Missé y G. Coll-Planas (Eds.). *El género desordenado: críticas en torno a la patologización de la transexualidad* (pp. 211-227). Barcelona-Madrid: Egales.

Bombino Companioni, Y. (2013). Estudios sobre sexualidad y género: su visualización en la revista *Sexología y Sociedad*. *Sexología y Sociedad*, *19*(51), 23-30.

Butler, J. (2006a). *Deshacer el género*. Barcelona: Paidós.

Butler, J. (2006b). *Vida precaria: el poder del duelo y la violencia*. Buenos Aires: Paidós.

Careaga, G. (2012). Presentación. En Helien, A. y Piotto, A. *Cuerpxs equivocadxs: hacia la comprensión de la diversidad sexual* (pp. 13-19). Buenos Aires: Paidós.

Castro Espín, M. (2002). El Programa Nacional de Educación Sexual en la estrategia cubana de desarrollo humano. *Sexología y Sociedad*, 8(20), 4-9.

Castro Espín, M. (Comp.) (2008). *La transexualidad en Cuba*. La Habana: CENESEX.

Castro Espín, M. (2011a). A Cuban Policy Approach to Sex Education. *Cuban Studies*, *42*, 23-34.

Castro Espín, M. (2011b). La educación sexual como política de Estado en Cuba desde 1959. *Sexología y Sociedad*, *17*(45), 4-13.

Centro de Estudios Demográficos (CEDEM) (2009). *Cuba. Población y desarrollo*. La Habana: Autor.

Coleman, E., Bockting, W., Botzer, M., Cohen-Kettins, P., DeCuypere, G., Feldman, J., Zucher, K. (2012). *Standards of Care for the Health of Transsexual, Transgender, and Gender Non-Conforming People, Version 7*. Minneapolis: The World Professional Association for Transgender Health (WPATH).

Conapred (Consejo Nacional para Prevenir la Discriminación) (2008). *Carta a mi padre: testimonio de una persona transsexual con discapacidad*. Col. Testimonios sobre Discriminación, 2. México D.F.: Autor.

Díaz Martínez, C., y Dema Moreno, S. (2013). Metodología no sexista en la investigación y producción del conocimiento. En C. Díaz Martínez y S. Dema Moreno (Eds.). *Sociología y género* (Cap. 2, pp. 65-86). Madrid: Tecnos.

Domínguez, M. I. (2008). Integración social de la juventud cubana hoy. Una mirada a su subjetividad. *Revista Argentina de Sociología*, *6*(11), 74-95.

Domínguez, M. I. (2010a). Juventud cubana: procesos educativos e integración social. En C. Castilla, C. L. Rodríguez y J. Cruz (Eds.). *Cuadernos del CIPS 2009. Experiencias de investigación social en Cuba*. La Habana: Acuario.

Domínguez, M. I. (2010b). Oportunidades y retos para la integración social de la juventud en Cuba hoy. En M. I. Domínguez (Comp.). *Niñez, adolescencia y juventud en Cuba. Aportes para una comprensión social de su diversidad*. La Habana: CIPS-Oficina Regional de UNICEF en Cuba.

Domínguez García, M. I., Castilla García, C., Rodríguez Velazco, C. L., Brito Lorenzo, Z., y Morales Castellón, Y. (Comp.). (2008). *Cuadernos del CIPS 2008: experiencias de investigación social en Cuba*. La Habana: Caminos-Centro de Investigaciones Psicológicas y Sociológicas (CIPS).

Durkheim, E. (1967). *De la division du travail social* (8a. ed.). Paris: Les Presses universitaires de France.

Espina Prieto, M. P. (2010). *Desarrollo, desigualdad y políticas sociales: acercamientos de una perspectiva compleja*. La Habana: Publicaciones Acuario, Centro Félix Varela.

Espina, M., Martín, L., Núñez, L., y Ángel, G. (2008). Desigualdades en la agenda. Historia y perspectivas. En M. I. Domínguez, C. Castilla, C. L. Rodríguez, Z. Brito, y Y. Morales (Comps.). *Experiencias de investigación social en Cuba*. La Habana: Caminos, CIPS.Martínez Puente, S. (2008). *Revolución Cubana: hechos más que palabras*. La Habana: Editorial José Martí.

Esteban Galarza, M. L. (2009). Identidades de género, feminismo, sexualidad y amor: los cuerpos como agentes. *Política y Sociedad, 46*(1-2), 27-41.

Estivill, J. (2003). *Panorama de la lucha contra la exclusión social. Conceptos y estrategias*. Ginebra: Oficina Internacional del Trabajo.

Fleitas Ruiz, R. (2005). La identidad femenina: las encrucijadas de la igualdad y la diferencia. En C. Proveyer (Comp.). *Selección de lecturas de sociología y política social de género*. La Habana: Ed. Félix Varela.

Flores Dávila, J. I. (Coord.). (2007). *La diversidad sexual y los retos de la igualdad y la inclusión*. México D.F.: Consejo Nacional para Prevenir la Discriminación (Conapred).

Foucault, M. (2009). *Historia de la sexualidad. I. La voluntad de saber* (reimp. 2a. ed.). México D.F.: Siglo XXI.

Garaizábal, C. (1998). La transgresión del género. Transexualidades, un reto apasionante. En J. A. Nieto (Ed.). *Transexualidad, transgenerismo y cultura* (pp. 39-62). Madrid: Talasa.

Garaizábal, C. (2010). Transexualidades, identidades y feminismos. En M. Missé y G. Coll-Planas (Eds.). *El género desordenado: críticas en torno a la patologización de la transexualidad* (pp. 125-140). Barcelona: Egales.

García Nieto, I. (2013). Interacción de los distintos factores de exclusión en los adolescentes transexuales: dificultades para la integración social y laboral. En O. Moreno Cabrera y L. Puche Cabezas (Eds.). *Transexualidad, adolescencias y educación: miradas multidisciplinares* (pp. 151-171). Barcelona: Egales.

Garfinkel, H. (1956). Conditions of successful degradation ceremonies. *American Journal of Sociology*, 61, 420-424.

Garfinkel, H. (1967). *Studies in Ethnomethodology*. Los Angeles: University of California.

Goffman, E. (1993). *Estigma. La identidad deteriorada* (5a. ed.). Buenos Aires: Amorrortu.

Gómez Gil, E., Cobo Gómez, J. V., y Gastó Ferrer, C. (2006). Aspectos históricos de la transexualidad. En E. Gómez Gil e I. Esteva de Antonio (Eds.). *Ser transexual: dirigido al paciente, a su familia y al entorno sanitario, judicial y social* (Cap. 4, pp. 73-102). Barcelona: Glosa.

Gómez Gil, E., Esteva de Antonio, I., y Fernández-Tresguerres, J. A. (2006). Causas o fundamentos fisiológicos. En E. Gómez Gil e I. Esteva de Antonio (Eds.). *Ser transexual: dirigido al paciente, a su familia y al entorno sanitario, judicial y social* (Cap. 6, pp. 113-124). Barcelona: Glosa.

Gooren, L. (2003). El transexualismo, una forma de intersexo. En A. Becerra-Fernández (Comp.). *Transexualidad. La búsqueda de una identidad* (pp. 43-58). Madrid: Ed. Díaz de Santos.

Guasch, O., y Osborne, R. (2003). Avances en sociología de la sexualidad. En R. Osborne y O. Guasch (Comps.). *Sociología de la sexualidad* (Cap. 1, pp. 1-24). Madrid: Centro de Investigaciones Sociológicas.

Guerra Guerra, G. I. (2010). Representación social de la sexualidad en un grupo de transexuales de Ciudad de La Habana. En M. Romero Almodóvar y D. Echeverría León (Comps). *Convergencias en género: apuntes desde la sociología* (pp. 81-110). La Habana: Juan Marinello.

Haraway, D. J. (1995). *Ciencia, ciborgs y mujeres. La reivindicación de la naturaleza*. Madrid: Cátedra.

Lagarde y de los Ríos, M. (2006). *Los cautiverios de las mujeres: madresposas, monjas, putas presas y locas* (4a. ed., 1a. reimp.). México D.F.: Universidad Nacional Autónoma de México.

Lamas Encabo, M. (2012). *Transexualidad: identidad y cultura*. (Tesis de Doctorado). Instituto de Investigaciones Antropológicas, Facultad de Filosofía y Letras, UNAM. México, D.F.

La política cultural de la Revolución Cubana: memoria y reflexión. (2008). Colección Criterios. La Habana: Centro Teórico Cultural Criterios.

Limia David, M. (1991). *Las contradicciones esenciales de la sociedad cubana*. Informe de investigación. CEDICT, Instituto de Filosofía, La Habana.

Limia David, M. (2013). *Retos del marxismo en la Cuba de hoy*. La Habana: Pueblo y Educación.

Limia David, M. (s.f.). Los fundamentos ideológicos de la participación popular en Cuba. Sus alcances y perspectivas de desarrollo (fragmento). En C. Viciedo Domínguez (Coord.). *Educación para la paz y los dere-*

chos humanos en Cuba socialista (pp. 150-172). La Habana: Sociedad Económica de Amigos del País.

Linares Fleites, C., y Mora Puig, P. E. (2004). Universos de la participación: su concreción en el ámbito de la acción cultural. En A. J. Pérez García (Coord.). *Participación social en Cuba* (pp. 73-106). La Habana: Centro de Investigaciones Psicológicas y Sociológicas.

López Hurtado, J., Esteba Boronat, M., Rosés, M. A., Chávez Rodríguez, J., Valera Alfonso, O., y Ruiz Aguilera, A. (s.f.). *Proyecto de pedagogía «Marco conceptual para la elaboración de una teoría pedagógica»*. Instituto Central de Ciencias Pedagógicas, La Habana.

Marcasciano, P. (2002). *Tra le rose e le viole: la storia e le storie di transessuali e travestiti.* Roma: Manifestolibri.

Martínez Puente, S. (2008). *Revolución Cubana: hechos más que palabras*. La Habana: Editorial José Martí.

Mattelart, A., y Garreton, M. A. (1965). *Integración nacional y marginalidad.* Santiago, Chile: Editorial del Pacífico.

Merton, R. K. (1973). *The Sociology of Science. Theoretical and Empirical Investigations*. Chicago: University of Chicago Press.

Mills, C. W. (1974). *La imaginación sociológica*. Buenos Aires: Fondo de Cultura Económica.

Missé, M., y Coll-Planas, G. (Eds.) (2010). *El género desordenado: críticas en torno a la patologización de la transexualidad.* Barcelona-Madrid: Egales.

Morales Domínguez, E. (2010). *La problemática racial en Cuba: algunos de sus desafíos*. La Habana: Editorial José Martí.

Narotzky, S. (1995). *Mujer, mujeres, género. Una aproximación crítica al estudio de las mujeres en las Ciencias Sociales*. Madrid: Consejo Superior de Investigaciones Científicas.

Nicolás Lazo, G. (2009). Debates en epistemología feminista: del empiricismo y el *standpoint* a las críticas postmodernas sobre el sujeto y el punto de vista. En G. Nicolás Lazo y E. Bodelón González (Comps.). *Género y dominación: críticas feministas del derecho y el poder* (pp. 25-62). Barcelona: Anthropos.

Nieto Piñeroba, J. A. (2008). *Transexualidad, intersexualidad y dualidad de género*. Barcelona: Edicions Bellaterra.

Núñez, E. (2003). La transexualidad en el sistema de géneros contemporáneo: del problema de género a la solución del mercado. En O. Guasch y R. Osborne (Comps.). *Sociología de la sexualidad* (Cap. 9, pp. 224-235). Madrid: Centro de Investigaciones Sociológicas.

Parsons, T. (1951). *The Social System*. London: Routledge.

Pereira Ramírez, R. M. (2007). *El derecho a la libre orientación sexual: un derecho sexual sin protección legal en Cuba*. (Tesis de Maestría en Sexualidad). CENESEX. La Habana.

Pérez, E., y Lueiro, M. (Comps.) (2009). *Raza y racismo*. La Habana: Caminos.

Pérez Fernández-Fígares, K. (2010). Historia de la patologización y despatologización de las variantes de género. En M. Missé y G. Coll-Planas (Eds.). *El género desordenado: críticas en torno a la patologización de la transexualidad* (pp. 97-111). Barcelona-Madrid: Egales.

Plain Rad-Cliff, E. (2008). *La opresión de la mujer. ¿Una asignatura pendiente en el manifiesto comunista?* Ponencia presentada en la IV Conferencia Internacional «La obra de Carlos Marx y los desafíos del siglo XXI», 5-8 mayo, La Habana.

Plummer, K. (2003). La cuadratura de la ciudadanía íntima. Algunas propuestas preliminares. En O. Guasch y R. Osborne (Comps.). *Sociología de la sexualidad* (Cap. 2, pp. 25-50). Madrid: Centro de Investigaciones Sociológicas.

Principios de Yogyakarta (2006). Recuperado de www.yogyakarteprinciples.org

Proveyer, C. *et al.* (2010). *50 años después: mujeres en Cuba y cambio social*. La Habana: Oxfam International.

Puche Cabezas, L., Moreno Ortega, E., y Pichardo Galán, J. I. (2013). Adolescentes transexuales en la escuela. Aproximación cualitativa y propuestas de intervención desde la perspectiva antropológica. En O. Moreno Cabrera y L. Puche Cabezas (Eds.). *Transexualidad, adolescencias y educación: miradas multidisciplinares* (pp. 189-265). Barcelona: Egales

Ramírez Calzadilla, J. (1998). Las relaciones Iglesia-Estado y religión-sociedad en Cuba. Informe de trabajo. La Habana: Centro de Investigaciones Psicológicas y Sociológicas.

Ritzer, G. (2003). *Teoría sociológica contemporánea*. 1a. y 2a. partes. La Habana: Félix Varela.

Ritzer, G. (2007). *Teoría sociológica clásica*. La Habana: Félix Varela.

Rivero Pino, R. (2000). *Para comprender los roles sociales* [CD-ROM]. Santa Clara: Universidad Central de Las Villas.

Rivero Pino, R. (2014). *Lo local-comunitario: ámbito y cualidad de la educación integral de la sexualidad*. La Habana: Editorial CENESEX.

Rodríguez, R. M., García, C. T., y Alfonso, A. C. (2008). Trastorno de identidad de género y personas transexuales. Pautas de atención psicológica.

En M. Castro Espín (Comp.). *La transexualidad en Cuba* (pp. 105-122). La Habana: Editorial CENESEX.

Rodríguez Luna, R. (2009). Marginación y sexismo: la exclusión del movimiento feminista en las teorías de los movimientos sociales. En G. Nicolás Lazo y E. Bodelón González (Comps.). *Género y dominación: críticas feministas del derecho y el poder* (pp. 63-93). Barcelona: Anthropos.

Serrano Lorenzo, Y. (2013). *El encargo social de la Federación de Mujeres Cubanas respecto a las familias*. (Tesis de Doctorado). Centro de Estudios Comunitarios, Universidad Central Marta Abreu de Las Villas.

Shelley, C. (2008). *Transpeople: Repudiation, trauma, healing*. Toronto: University of Toronto Press.

Stoller, R. J. (1968/1984). *Sex and gender: The development of masculinity and femininity*. London: Karnac Books.

Taylor, I., Walton P. y Young J. (1973). *La nueva criminología. Contribución a una teoría social de la conducta desviada*. Buenos Aires: Amorrortu.

Valle Lima, A. D. (2007). *Metamodelos de la investigación pedagógica* [CD-ROM]. La Habana: Instituto Central de Ciencias Pedagógicas, Ministerio de Educación.

Vázquez Seijido, M. (2014). *Identidades trans en el ámbito jurídico-laboral: algunos apuntes sobre el tema en Cuba*. Ponencia presentada en la Conferencia Internacional «Géneros, cultura, sociedades. Preguntas sobre la transexualidad», marzo, París. Centro de Documentación e Información Científico-Técnica, CENESEX, La Habana.

Viveros, M. (2009). *La sexualización de la raza y la racialización de la sexualidad en el contexto latinoamericano actual*. Recuperado de http://www.ucaldas.edu.co/docs/Ponencia_Mara_Viveros.pdf.

Weeks, J. (1993). *El malestar de la sexualidad: significados, mitos y sexualidades modernas*. Madrid: Talasa Ediciones.

Whittle, S., Turner, L., & Al-Alami, M. (2007). *Engendered penalties: Transgendered and transsexual people's experiences of inequality and discrimination*. Manchester: Manchester Metropolitan University and Press for Change.

Winter, S., Chalungsooth, P., Teh, Y. K., Rojanalert, N., Maneerat, K., Wong, Y. W.,... Aquino Macapagal, R. (2009, April/June). Transpeople, transprejudice and pathologization: A seven-country factor analytic study. *International Journal of Sexual Health, 21*(2), 96-118.

World Association for Sexual Health. (2008). *Salud sexual para el milenio: Declaración y Documento Técnico*. Minneapolis: Autor.

Zabala Argüelles, M. C. (2010). *Familia y pobreza en Cuba: estudio de casos*. La Habana: Publicaciones Acuario, Centro Félix Varela.

Bibliografía

Adrián, T. (2010). Un ensayo de determinación de la situación actual del problema a la luz del examen del derecho comparado. En M. Arilla, T. de Souza Lapa y T. Crenn Pisanecschi. *Transexualidade, travestilidades e dieito á saúde*. São Paulo: Comissao de Cidadania e Reproducão.

Alfonso, A. C., y Rodríguez, R. M. (2008). Personas transexuales y familia. En el límite de la invisibilidad. En M. Castro Espín (Comp.). *La transexualidad en Cuba* (pp. 105-122). La Habana: Editorial CENESEX.

Alfonso, A., y Rodríguez, M. (2014). *Sistematización de la experiencia del grupo Trans Cuba*. Ponencia presentada en la Conferencia Internacional «Géneros, cultura, sociedades. Preguntas sobre la transexualidad», marzo, París. Centro de Documentación e Información Científico-Técnica, CENESEX, La Habana.

Alonso Freyre, J. *et al.* (2004). *El autodesarrollo comunitario: crítica a las mediaciones sociales recurrentes de la emancipación humana*. Santa Clara: Ed. Feijoo.

American Psychiatric Association (1999). *Manual diagnóstico y estadístico de los trastornos mentales*. Barcelona: Masson.

Amezúa, E. (2001). *Educación de los sexos: la letra pequeña de la educación sexual*. Madrid: Publicaciones del Instituto de Sexología. Publicado como la tercera y última parte de una monografía en la *Revista Española de Sexología, 107-108.*

Aramburu Alegría, C., y Ballard-Reisch, D. (2013, April/June). Gender expression as a reflection of identity reformation in couple partners following disclosure of male-to-female transsexualism. *International Journal of Transgenderism, 14*(2), 49-65.

Araneta Zinkunegi, A. (2012). Transfronteras: un nuevo activismo mundial por la despatologización trans. En O. Moreno Cabrera y L. Puche Cabezas (Eds.). *Transexualidad, adolescencias y educación: miradas multidisciplinares* (pp. 89-109). Barcelona: Egales.

ARARTEKO (Defensoría del Pueblo) (2009). *La situación de las personas transgénero y transexuales en Euskadi*. Vitoria-Gasteiz: Autor.

Arrietti, L., Ballarin, C., Cuccio, G., y Marcasciano, P. (2010). *Elementi di critica trans*. Roma: Manifestolibri.

Astelarra, J. (2003). *¿Libres e iguales? Sociedad y política desde el feminismo*. Santiago de Chile: Centro de Estudios de la Mujer.

Basail Rodríguez, A., Fleitas Ruiz, R., Hernández Morales, A., Muñoz Gutiérrez, T., y Dávalos Domínguez, R. (Comps.). (2001a). *Introducción a la sociología: selección de lecturas II*. La Habana: Félix Varela.

Basail Rodríguez, A., Fleitas Ruiz, R., Hernández Morales, A., Muñoz Gutiérrez, T., y Dávalos Domínguez, R. (Comps.). (2001b). *Introducción a la sociología: selección de lecturas III*. La Habana: Félix Varela.

Basail Rodríguez, A., Fleitas Ruiz, R., Hernández Morales, A., Muñoz Gutiérrez, T., y Dávalos Domínguez, R. (Comps.). (2006). *Introducción a la sociología: selección de lecturas I* (2a. ed.). La Habana: Félix Varela.

Bataller i Perelló, V. (2005). La(s) transexualidad(es) desde una perspectiva de salud pública: unidad interdisciplinar de género. En M. García Ruiz (Coord.). *Transexualidad: hombres y mujeres con todos los derechos* (pp. 62-70). (s.l.): Consejo de la Juventud del Principado de Asturias-Consejería de Salud y Servicios Sanitarios.

Baudrillard, J., y Guillaume, M. (2000). *Figuras de la alteridad*. México D.F.: Taurus.

Becerra Fernández, A. (Comp.). (2003). *Transexualidad: la búsqueda de una identidad*. Madrid: Díaz de Santos.

Beltzer, N. (Coord.). (2008). *Enquête sur la sexualité en France: pratiques, genre et santé*. Paris: La Découverte.

Benjamin, H. (1966). Transvestism, transsexualism, and homosexuality. En *The transsexual phenomenon* (Cap. 2). Recuperado de http://www.w3.org/TR/html4/loose.dtd

Bergero Miguel, T., Asiain Vierge, S., y Esteva de Antonio, I. (2012). Transexualidad, adolescencia y biomedicina. Limitaciones del modelo biomédico y perspectiva crítica. En O. Moreno Cabrera y L. Puche Cabezas (Eds.). *Transexualidad, adolescencias y educación: miradas multidisciplinares* (pp. 113-134). Barcelona: Egales.

Bettcher, T. (2007). Evil deceivers and make-believers: On transphobic violence and the politics of illusion. *Hypatia*, *22*(3), 43-65.

Biglia, B., y Lloret, I. (2010). Generando géneros y patologizando sujetos. En M. Missé y G. Coll-Planas (Eds.). *El género desordenado: críticas en torno a la patologización de la transexualidad* (pp. 211-227). Barcelona-Madrid: Egales.

Bimbi, B. (2010). *Matrimonio igualitario: intrigas, tensiones y secretos en el camino hacia la ley*. Buenos Aires: Planeta.

Bodelón, E., Bonet, M., Garrido, L., Heim, D., Igareda, N., y Toledo, P. (2009). La limitada perspectiva de género en la sentencia del Tribunal Constitucional 59/2008. Comentarios a la Sentencia del Tribunal Constitucional STC 59/2008, de 14 de mayo de 2008, cuestión de inconstitucionalidad del art. 153.1 del Código Penal (en su redacción vigente, resultante de la Ley Orgánica 1/2004, de 28 de diciembre). En G. Nicolás Lazo y E. Bodelón González (Comps.). *Género y dominación: críticas feministas del derecho y el poder* (pp. 247-262). Barcelona: Anthropos.

Bohannan, P., y Glazer, M. (2005). *Antropología: lecturas* (2a. ed.). La Habana: Félix Varela.

Bombino Companioni, Y. (2013). Estudios sobre sexualidad y género: su visualización en la revista *Sexología y Sociedad*. *Sexología y Sociedad*, *19*(51), 23-30.

Bourdieu, P. (2003). *La dominación masculina* (3a. ed.). Barcelona: Anagrama.

Bourdieu, P. (2007). *Cosas dichas*. Barcelona: Gedisa.

Bourdieu, P. (2008). *Homo academicus*. Buenos Aires: Siglo XXI.

Bovero, M. (Coord.). (2010). *¿Cuál libertad? Diccionario mínimo contra los falsos liberales*. México D.F.: Océano.

Butler, J. (1998). Actos performativos y constitución del género: un ensayo sobre fenomenología y teoría feminista. *Debate Feminista*, *9*(18), 296-314.

Butler, J. (2006a). *Deshacer el género*. Barcelona: Paidós.

Butler, J. (2006b). *Vida precaria: el poder del duelo y la violencia*. Buenos Aires: Paidós.

Butler, J. (2010). *Marcos de guerra*. Barcelona: Paidós.

Butler, J. (2011). *Violencia de Estado, guerra, resistencia. Por una nueva política de la izquierda*. Incluye: *Las categorías nos dicen más sobre la necesidad de categorizar los cuerpos que sobre los cuerpos mismos (entrevista de Daniel Gamper Sachse)*. Buenos Aires: Katz Editores.

Callejo, J. (2001). *El grupo de discusión: introducción a una práctica de investigación*. Barcelona: Ariel.

Careaga, G. (2012). Presentación. En Helien, A. y Piotto, A. *Cuerpxs equivocadxs: hacia la comprensión de la diversidad sexual* (pp. 13-19). Buenos Aires: Paidós.

Castellanos Simons, B., y González Hernández, A. (1995). *Sexualidad humana: personalidad y educación*. La Habana: Pueblo y Educación.

Castro Espín, M. (2002). El Programa Nacional de Educación Sexual en la estrategia cubana de desarrollo humano. *Sexología y Sociedad, 8*(20), 4-9.

Castro Espín, M. (Comp.) (2008). *La transexualidad en Cuba*. La Habana: CENESEX.

Castro Espín, M. (2011a). A Cuban Policy Approach to Sex Education. *Cuban Studies*, *42*, 23-34.

Castro Espín, M. (2011b). La educación sexual como política de Estado en Cuba desde 1959. *Sexología y Sociedad, 17*(45), 4-13.

Castro Espín, M. y Moya Ricard, I. (2011). Sexuality: Revolutionary Period (1959-). En *Encyclopedia of Cuba: People, Culture, History*. Charles Scribner's Sons, Gale, CengageLearning, Estados Unidos. Vol. 2, 872-876.

Centro de Estudios Demográficos (CEDEM) (2009). *Cuba. Población y desarrollo*. La Habana: Autor.

Cobo, R., Guzmán, V., y Bonan Jannotti, C. (2013). Las políticas de género y el género en la política. En C. Díaz Martínez y S. Dema Moreno (Eds.). *Sociología y género* (Cap. 11, pp. 353-385). Madrid: Tecnos.

Coleman, E., Bockting, W., Botzer, M., Cohen-Kettins, P., DeCuypere, G., Feldman, J., Zucher, K. (2012). *Standards of Care for the Health of Transsexual, Transgender, and Gender Non-Conforming People, Version 7*. Minneapolis: The World Professional Association for Transgender Health (WPATH).

Coll-Planas, G. (2009). *La voluntad y el deseo. Construcciones discursivas del género y la sexualidad: el caso de trans, gays y lesbianas*. (Tesis de Doctorado). Universitat de Barcelona.

Comte, A. (1957). *A General View of Positivism*. New York: R. Speller.

Conapred (Consejo Nacional para Prevenir la Discriminación) (2008). *Carta a mi padre: testimonio de una persona transsexual con discapacidad*. Col. Testimonios sobre Discriminación, 2. México D.F.: Autor.

Coriat, S. (2008). Participación, accesibilidad e inclusión en las ciudades. En *Ciudades libres de discriminación I. Conceptualizaciones acerca de la discriminación en el ámbito local: experiencias compartidas con ciudades patagónicas* (pp. 45-54). Buenos Aires: Instituto Nacional contra la Discriminación, la Xenofobia y el Racismo (INADI).

Díaz Martínez, C., y Dema Moreno, S. (2013). Metodología no sexista en la investigación y producción del conocimiento. En C. Díaz Martínez y S. Dema Moreno (Eds.). *Sociología y género* (Cap. 2, pp. 65-86). Madrid: Tecnos.

Domínguez, M. I. (2008). Integración social de la juventud cubana hoy. Una mirada a su subjetividad. *Revista Argentina de Sociología*, *6*(11), 74-95.

Domínguez, M. I. (2010a). Juventud cubana: procesos educativos e integración social. En C. Castilla, C. L. Rodríguez y J. Cruz (Eds.). *Cuadernos del CIPS 2009. Experiencias de investigación social en Cuba*. La Habana: Acuario.

Domínguez, M. I. (2010b). Oportunidades y retos para la integración social de la juventud en Cuba hoy. En M. I. Domínguez (Comp.). *Niñez, adolescencia y juventud en Cuba. Aportes para una comprensión social de su diversidad.* La Habana: CIPS-Oficina Regional de UNICEF en Cuba.

Domínguez García, M. I., Castilla García, C., Rodríguez Velazco, C. L., Brito Lorenzo, Z., y Morales Castellón, Y. (Comp.). (2008). *Cuadernos del CIPS 2008: experiencias de investigación social en Cuba*. La Habana: Caminos-Centro de Investigaciones Psicológicas y Sociológicas (CIPS).

Dreger, A. (2008). The controversy surrounding the man who would be queen: A case history of the politics of science, identity and sex in the internet age. *Archives of Sexual Behaviour*, *37*, 366-421.

Durkheim, E. (1967). *De la division du travail social* (8a. ed.). Paris: Les Presses universitaires de France.

Edelman, F. (2001). *Feminismo y marxismo: conversación con Claudia Korol*. Buenos Aires: Ediciones Cuadernos Marxistas.

Elósegui Itxaso, M. (1999). *La transexualidad: jurisprudencia y argumentación jurírica*. Granada: Comares.

Emerton, R. (2006). Finding a voice, fighting for rights: The emergence of the transgender movement in Hong Kong. *Inter-Asia Cultural Studies*, 7(2), 243-269.

Engels, F. (s.f.). *El origen de la familia, la propiedad privada y el Estado*. Moscú: Ediciones en Lenguas Extranjeras.

Escartí, A., Musitu, G., y Gracia, E. (1988). Estereotipos sexuales y roles sociales. En J. Fernández (Coord.). *Nuevas perspectivas en el desarrollo del sexo y el género* (Cap. 8, pp. 205-225). Madrid: Ediciones Pirámide.

Espina Prieto, M. P. (2010). *Desarrollo, desigualdad y políticas sociales: acercamientos de una perspectiva compleja*. La Habana: Publicaciones Acuario, Centro Félix Varela.

Espina Prieto, M. P. (2013). *Diversidad, equidad social y política pública.* Ponencia presentada en el Programa Académico de la VI Jornada Cubana contra la Homofobia, La Habana.

Espina, M., Martín, L., Núnez, L., y Ángel, G. (2008). Desigualdades en la agenda. Historia y perspectivas. En M. I. Domínguez, C. Castilla, C. L. Rodríguez, Z. Brito, y Y. Morales (Comps.). *Experiencias de investigación social en Cuba*. La Habana: Caminos, CIPS.

Esteban, M. L. (2003). Estrategias corporales masculinas y transformaciones de género. En O. Guasch y O. Viñuales (Eds.). *Sexualidades: diversidad y control social* (Cap. 2, pp. 45-67). Barcelona: Edicions Bellaterra.

Esteban Galarza, M. L. (2009). Identidades de género, feminismo, sexualidad y amor: los cuerpos como agentes. *Política y Sociedad*, *46*(1-2), 27-41.

Estivill, J. (2003). *Panorama de la lucha contra la exclusión social. Conceptos y estrategias*. Ginebra: Oficina Internacional del Trabajo.

Flachsland, C. (2003). *Pierre Bourdieu y el capital simbólico*. Madrid: Campo de Ideas.

Flecha García, C. (2010). Repensar la educación en tiempos de igualdad. En *La construcción de la sexualidad y los géneros en tiempos de cambio* (pp. 68-85). (s.l.): Ediciones Aurelia.

Fleitas Ruiz, R. (2005). La identidad femenina: las encrucijadas de la igualdad y la diferencia. En C. Proveyer (Comp.). *Selección de lecturas de sociología y política social de género*. La Habana: Ed. Félix Varela.

Fleitas Ruiz, R., y Ávila Vargas, N. (Comps.). (2013). *Género, salud y sexualidad*. La Habana: Centro de Estudios Demográficos.

Flores Dávila, J. I. (Coord.). (2007). *La diversidad sexual y los retos de la igualdad y la inclusión*. México D.F.: Consejo Nacional para Prevenir la Discriminación (Conapred).

Floris Margadant, G. (1999). *La sexofobia del clero y dos ensayos histórico-jurídicos sobre sexualidad*. México D.F.: Grupo Editorial Miguel Ángel Porrúa.

Foucault, M. (2006a). *Historia de la sexualidad. II. El uso de los placeres* (reimp. 5a. ed.). Madrid: Siglo XXI.

Foucault, M. (2006b). *Historia de la sexualidad. III. El cuidado de sí* (reimp. 4a. ed.). Madrid: Siglo XXI.

Foucault, M. (2009). *Historia de la sexualidad. I. La voluntad de saber* (reimp. 2a. ed.). México D.F.: Siglo XXI.

Garaizábal, C. (1998). La transgresión del género. Transexualidades, un reto apasionante. En J. A. Nieto (Ed.). *Transexualidad, transgenerismo y cultura* (pp. 39-62). Madrid: Talasa.

Garaizábal, C. (2010). Transexualidades, identidades y feminismos. En M. Missé y G. Coll-Planas (Eds.). El género desordenado: críticas en torno a la patologización de la transexualidad (pp. 125-140). Barcelona: Egales.

García Nieto, I. (2013). Interacción de los distintos factores de exclusión en los adolescentes transexuales: dificultades para la integración social y laboral. En O. Moreno Cabrera y L. Puche Cabezas (Eds.). *Transexualidad, adolescencias y educación: miradas multidisciplinares* (pp. 151-171). Barcelona: Egales.

Garfinkel, H. (1956). Conditions of successful degradation ceremonies. *American Journal of Sociology*, 61, 420-424.

Garfinkel, H. (1967). *Studies in Ethnomethodology*. Los Angeles: University of California.

Giménez, G. (2009). Identidad y cultura. En *Tertulia sociológica*. México D.F.: Hugo José Suárez, Bonialla Artigas Editores, UNAM.

Goffman, E. (1993). *Estigma. La identidad deteriorada* (5a. ed.). Buenos Aires: Amorrortu.

Gómez Gil, E., Cobo Gómez, J. V., y Gastó Ferrer, C. (2006). Aspectos históricos de la transexualidad. En E. Gómez Gil e I. Esteva de Antonio (Eds.). *Ser transexual: dirigido al paciente, a su familia y al entorno sanitario, judicial y social* (Cap. 4, pp. 73-102). Barcelona: Glosa.

Gómez Gil, E., Esteva de Antonio, I., y Fernández-Tresguerres, J. A. (2006). Causas o fundamentos fisiológicos. En E. Gómez Gil e I. Esteva de Antonio (Eds.). *Ser transexual: dirigido al paciente, a su familia y al entorno sanitario, judicial y social* (Cap. 6, pp. 113-124). Barcelona: Glosa.

Gómez Meza, J. O. (2011). *Luchas maricas y derechos humanos en América Latina*. (s.l.): Al Sur.

González Hernández, A. (2010). Sexualidad, educación y desarrollo humano. En *La construcción de la sexualidad y los géneros en tiempos de cambio* (pp. 11-33). (s.l.): Ediciones Aurelia.

González Hernández, A., y Castellanos Simons, B. (2010). Sexualidad, educación y desarrollo humano. En *Género, educación y equidad hacia un mundo mejor* (pp. 9-26). (s.l.): Ediciones Aurelia.

Gooren, L. (2003). El transexualismo, una forma de intersexo. En A. Becerra-Fernández (Comp.). *Transexualidad. La búsqueda de una identidad* (pp. 43-58). Madrid: Ed. Díaz de Santos.

Green, J. (2004). *Becoming a visible man*. Nashville: Vanderbilt University Press.

Gregory Flor, N. (2012). SHB: nuevos nombres para viejas jerarquías y exclusiones. En O. Moreno Cabrera y L. Puche Cabezas (Eds.). *Transexualidad, adolescencias y educación: miradas multidisciplinares* (pp. 71-88). Barcelona: Egales.

Guasch, O. (2006). *Héroes, científicos, heterosexuales y gays: los varones en perspectiva de género*. Barcelona: Edicions Bellaterra.

Guasch, O. (2007). *La crisis de la heterosexualidad* (2a. ed.). Barcelona: Laertes.

Guasch, O. (2013). La construcción cultural de la homosexualidad masculina en España (1970-1995). En R. M. Mérida Jiménez (Ed.). *Minorías sexuales en España (1970-1995): textos y representaciones* (Cap. 1, pp. 11-25). Barcelona: Icaria.

Guasch, O., y Osborne, R. (2003). Avances en sociología de la sexualidad. En R. Osborne y O. Guasch (Comps.). *Sociología de la sexualidad* (Cap. 1, pp. 1-24). Madrid: Centro de Investigaciones Sociológicas.

Guasch, O., y Viñuales, O. (2003). Sociedad, sexualidad y teoría social: la sexualidad en perspectiva sociológica. En O. Guasch y O. Viñuales (Eds.). *Sexualidades: diversidad y control social* (Introd., pp. 9-18). Barcelona: Edicions Bellaterra.

Guerra Guerra, G. I. (2010). Representación social de la sexualidad en un grupo de transexuales de Ciudad de La Habana. En M. Romero Almodóvar y D. Echeverría León (Comps). *Convergencias en género: apuntes desde la sociología* (pp. 81-110). La Habana: Juan Marinello.

Guil Bozal, A. (2010). La identidad de género femenina y masculina bajo el impacto social. En *Género, educación y equidad hacia un mundo mejor* (pp. 27-37). (s.l.): Ediciones Aurelia.

Haraway, D. J. (1995). *Ciencia, ciborgs y mujeres. La reivindicación de la naturaleza*. Madrid: Cátedra.

Hauser, U. (2010). *Entre la violencia y la esperanza: escritos de una internacionalista*. La Habana: Publicaciones Acuario, Centro Félix Varela.

Heim, D., y Bodelón González, E. (Comps). (2010). *Derecho, género e igualdad: cambios en las estructuras jurídicas androcéntricas. Vol. I.* Barcelona: Universitat Autónoma de Barcelona.

Helien, A., y Piotto, A. (2012). *Cuerpxs equivocadxs: hacia la comprensión de la diversidad sexual*. Buenos Aires: Paidós.

Hernández Cabrera, P. M. (2005, enero/diciembre). Los estudios sobre diversidad sexual y la antropología mexicana: recuento de presencias. *Revista de Estudios de Antropología Sexual*, *1*(1), 11-31.

Hernández Morales, A. (Comp.). (2003a). *Historia y crítica de las teorías sociológicas*. Tomo I, 1a. parte. La Habana: Félix Varela.

Hernández Morales, A. (Comp.). (2003b). *Historia y crítica de las teorías sociológicas*. Tomo I, 2a. parte. La Habana: Félix Varela.

Hicks, G. R., & Lee, T. T. (2006). Public attitudes toward gays and lesbians: Trends and predictors. *Journal of Homosexuality*, *51*(2), 57-77.

Hill, D. B., & Willoughby, B. L. B. (2005). The development and validation of the Genderism and Transphobia Scale. *Sex Roles*, *53*(7-8), 531-544.

Holstein, J. A., & Gubrium, J. F. (2008). *Handbook of constructionist research*. New York: The Guilford Press.

Ibarra, F. (2001). *Metodología de la investigación social*. La Habana. Editorial Félix Varela.

International Commission of Jurists. (2009). *Sexual orientation, gender identity and International Human Rights Law*. Practitioners Guide No. 4. Geneva: Autor.

International Commission of Jurists. (s.f.). *Sexual orientation, gender identity and justice: A comparative law casebook*. Geneva: Autor.

Investigaciones por la diversidad. (2008). Buenos Aires: Instituto Nacional contra la Discriminación, la Xenofobia y el Racismo (INADI).

Izquierdo, M. J. y Ariño Villarroya, A. (2013). La socialización de género. En C. Díaz Martínez y S. Dema Moreno (Eds.). *Sociología y género* (Cap. 3, pp. 87-126). Madrid: Tecnos.

Lagarde y de los Ríos, M. (2006). *Los cautiverios de las mujeres: madresposas, monjas, putas presas y locas* (4a. ed., 1a. reimp.). México D.F.: Universidad Nacional Autónoma de México.

Lamas, M. (2008). Feminismo y americanización. La hegemonía académica de gender. En B. Echeverría (Comp.). *La americanización de la modernidad*. México D.F.: Era.

Lamas Encabo, M. (2012). *Transexualidad: identidad y cultura*. (Tesis de Doctorado). Instituto de Investigaciones Antropológicas, Facultad de Filosofía y Letras, UNAM. México, D.F.

Laplantine, F. (2007). *Ethnopsychiatrie psychanalytique*. Paris: Beauchesne.

La política cultural de la Revolución Cubana: memoria y reflexión. (2008). Colección Criterios. La Habana: Centro Teórico Cultural Criterios.

Laqueur, T. (1994). *La construcción del sexo: cuerpo y género desde los griegos hasta Freud*. Madrid: Ediciones Cátedra.

La situación de las personas transgénero y transexuales en Euskadi. Informe extraordinario de la institución del Ararteko al Parlamento Vasco. (2009). (s.l.): Ararteko (Defensoría del Pueblo).

Limia David, M. (1991). *Las contradicciones esenciales de la sociedad cubana*. Informe de investigación. CEDICT, Instituto de Filosofía, La Habana.

Limia David, M. (2013). *Retos del marxismo en la Cuba de hoy*. La Habana: Pueblo y Educación.

Limia David, M. (s.f.). Los fundamentos ideológicos de la participación popular en Cuba. Sus alcances y perspectivas de desarrollo (fragmento).

En C. Viciedo Domínguez (Coord.). *Educación para la paz y los derechos humanos en Cuba socialista* (pp. 150-172). La Habana: Sociedad Económica de Amigos del País.

Linares Fleites, C., y Mora Puig, P. E. (2004). Universos de la participación: su concreción en el ámbito de la acción cultural. En A. J. Pérez García (Coord.). *Participación social en Cuba* (pp. 73-106). La Habana: Centro de Investigaciones Psicológicas y Sociológicas.

List Reyes, M. (2009). *Hablo por mi diferencia: de la identidad gay al reconocimiento de lo* queer. México D.F.: Ediciones Eón.

Llanes Bermejo, M. I. (2010). *Del sexo al género: la nueva revolución social*. Navarra: Ediciones Universidad de Navarra (EUNSA).

López, F. (1988). Identidad sexual y de género en la vida adulta y vejez. En J. Fernández (Coord.). *Nuevas perspectivas en el desarrollo del sexo y el género* (Cap. 3, pp. 71-87). Madrid: Ediciones Pirámide.

López Hurtado, J., Esteba Boronat, M., Rosés, M. A., Chávez Rodríguez, J., Valera Alfonso, O., y Ruiz Aguilera, A. (s.f.). *Proyecto de pedagogía «Marco conceptual para la elaboración de una teoría pedagógica»*. Instituto Central de Ciencias Pedagógicas, La Habana.

López Penedo, S. (2008). *El laberinto queer: la identidad en tiempos de neoliberalismo*. Barcelona: Egales.

López Sánchez, F. (2012). Identidad del yo, identidades sexuales y de género. En O. Moreno Cabrera y L. Puche Cabezas (Eds.). *Transexualidad, adolescencias y educación: miradas multidisciplinares* (pp. 135-149). Barcelona: Egales.

Macionis, J. J., y Plummer, K. (2011). *Sociología* (4a. ed.). Madrid: Pearson Educación.

Maffía, D. (Comp.) (2008). *Sexualidades migrantes: género y transgénero* (2a. ed.). Buenos Aires: Librería de Mujeres Editoras.

Maffía, D. (Coord.) (2011). *Día de lucha contra la discriminación por orientación sexual o identidad de género. 17 de mayo de 2010*. Buenos Aires: Legislatura de la Ciudad Autónoma de Buenos Aires.

Marcasciano, P. (2002). *Tra le rose e le viole: la storia e le storie di transessuali e travestiti*. Roma: Manifestolibri.

Marcos, S., y Waller, M. (Eds.). (2008). *Diálogo y diferencia: retos feministas a la globalización*. México D.F.: Centro de Investigaciones Interdisciplinarias en Ciencias y Humanidades (CEIICH).

Martínez Llantada, M., Fariñas León, G., Chávez Rodríguez, J. A., Ruiz Aguilera, A., Pérez Lemus, L., Castellanos Simóns, B.,… Hernández

Fernández, H. (2003). *Metodología de la investigación educacional: desafíos y polémicas actuales*. La Habana: Félix Varela.

Martínez Puente, S. (2008). *Revolución Cubana: hechos más que palabras*. La Habana: Editorial José Martí.

Masionis, J., y Plummer, K. (2011). *Sociología* (4a. ed.). Madrid: Pearson Educación.

Master, W. H., y Johnson, V. E. (1979). *Homosexualidad en perspectiva*. Buenos Aires: Intermédica.

Master, W. H., Johnson, V. E., y Kolodny, R. C. (1979). *La sexualidad humana*. La Habana: Editorial Científico-Técnica.

Mattelart, A., y Garreton, M. A. (1965). *Integración nacional y marginalidad*. Santiago, Chilc: Editorial del Pacífico.

Menéndez Menéndez, M. I. (2013). Medios de comunicación, género e identidad. En C. Díaz Martínez y S. Dema Moreno (Eds.). *Sociología y género* (Cap. 7, pp. 253-299). Madrid: Tecnos.

Merton, R. K. (1973). *The Sociology of Science. Theoretical and Empirical Investigations*. Chicago: University of Chicago Press.

Meyer-Bahlburg, H. F. L. (1982). Hormones and psychosexual differentiation: Implication for the management of intersexuality, homosexuality and transsexuality. *Clin Endocrinol Metabol*, *11*, 681-701.

Millot, C. (1983). *Exsexo-Ensayo sobre el transexualismo*. París: Catálogos-Paradiso-Point Hors Ligne.

Mills, C. W. (1974). *La imaginación sociológica*. Buenos Aires: Fondo de Cultura Económica.

Miranda Parrondo, M., y Pérez Villanueva, O. E. (Eds.). (2012). *Cuba. Hacia una estrategia de desarrollo para los inicios del siglo XXI*. (s.l.): Sello Editorial Javeriano.

Missé, M., y Coll-Planas, G. (Eds.) (2010). *El género desordenado: críticas en torno a la patologización de la transexualidad*. Barcelona-Madrid: Egales.

Money, J., y Ehrhardt, A. A. (1982). *Desarrollo de la sexualidad humana*. Madrid: Ediciones Morata.

Monsiváis, C. (2009, octubre). De la marginalidad sexual en América Latina. *Debate Feminista*, año 20, *40*.

Morales Domínguez, E. (2010). *La problemática racial en Cuba: algunos de sus desafíos*. La Habana: Editorial José Martí.

Moran, L. J., & Sharpe, A. N. (2004). Violence, identity and policing: The case of violence against transgender people. *Criminal Justice*, *4*(4), 395-417.

Muñoz Gutiérrez, T., Fleitas Ruiz, R., Hernández Morales, A., y Bail Rodríguez, A. (2003a). *Historia y crítica de las teorías sociológicas*. Tomo II, 1a. parte. La Habana: Félix Varela.

Muñoz Gutiérrez, T., Fleitas Ruiz, R., Hernández Morales, A., y Bail Rodríguez, A. (2003b). *Historia y crítica de las teorías sociológicas*. Tomo II, 3a. parte. La Habana: Félix Varela.

Nagoshi, J., Adams, K., Terrell, H., Hill, E., Brzuzy, S., & Nagoshi, C. (2008). Gender differences in correlates of homophobia and transphobia. *Sex Roles*, *59*, 521-531.

Narotzky, S. (1995). *Mujer, mujeres, género. Una aproximación crítica al estudio de las mujeres en las Ciencias Sociales*. Madrid: Consejo Superior de Investigaciones Científicas.

Nicolás Lazo, G. (2009). Debates en epistemología feminista: del empiricismo y el *standpoint* a las críticas postmodernas sobre el sujeto y el punto de vista. En G. Nicolás Lazo y E. Bodelón González (Comps.). *Género y dominación: críticas feministas del derecho y el poder* (pp. 25-62). Barcelona: Anthropos.

Nieto, J. A. (2003a). La intersexualidad y los límites del modelo dos sexos/dos géneros. En O. Guasch y O. Viñuales (Eds.). *Sexualidades: diversidad y control social* (Cap. 3, pp. 69-104). Barcelona: Edicions Bellaterra.

Nieto, J. A. (2003b). Sobre diversidad sexual: de homos, heteros, transs, queer. En O. Guasch y R. Osborne (Comps.). *Sociología de la sexualidad* (Cap. 4, pp. 99-125). Madrid: Centro de Investigaciones Sociológicas (CIS).

Nieto Piñeroba, J. A. (2008). *Transexualidad, intersexualidad y dualidad de género*. Barcelona: Edicions Bellaterra.

Nieto Piñeroba, J. A. (2012). Despsiquiatrizar el transgénero. En O. Moreno Cabrera y L. Puche Cabezas (Eds.). *Transexualidad, adolescencias y educación: miradas multidisciplinares* (pp. 49-70). Barcelona: Egales.

Núñez, E. (2003). La transexualidad en el sistema de géneros contemporáneo: del problema de género a la solución del mercado. En O. Guasch y R. Osborne (Comps.). *Sociología de la sexualidad* (Cap. 9, pp. 224-235). Madrid: Centro de Investigaciones Sociológicas.

Parsons, T. (1951). *The Social System*. London: Routledge.

Pereira Ramírez, R. M. (2007). *El derecho a la libre orientación sexual: un derecho sexual sin protección legal en Cuba*. (Tesis de Maestría en Sexualidad). CENESEX. La Habana.

Pérez, E., y Lueiro, M. (Comps.) (2009). *Raza y racismo*. La Habana: Caminos.

Pérez Ávila, J. (2011). *Sida: nuevas confesiones a un médico*. La Habana: Ediciones Abril.

Pérez Fernández-Fígares, K. (2010). Historia de la patologización y despatologización de las variantes de género. En M. Missé y G. Coll-Planas (Eds.). *El género desordenado: críticas en torno a la patologización de la transexualidad* (pp. 97-111). Barcelona-Madrid: Egales.

Pérez Fernández-Fígares, K. (2012). Las personas variantes de género en la educación. En O. Moreno Cabrera y L. Puche Cabezas (Eds.). *Transexualidad, adolescencias y educación: miradas multidisciplinares* (pp. 293-303). Barcelona: Egales.

Pérez García, A. J. (Comp.). (2004). *Participación social en Cuba*. La Habana: Centro de Investigaciones Psicológicas y Sociológicas.

Pérez López, J. (1996). *Sexualidad y hegemonía social: la pugna por el control del ordenamiento sexual en España durante la primera mitad del siglo XX*. Madrid: Publicaciones del Instituto de Sexología. Publicado como monografía en la *Revista Española de Sexología, 73*.

Plain Rad-Cliff, E. (2008). *La opresión de la mujer. ¿Una asignatura pendiente en el manifiesto comunista?* Ponencia presentada en la IV Conferencia Internacional «La obra de Carlos Marx y los desafíos del siglo XXI», 5-8 mayo, La Habana.

Platero Méndez, R. (2012). La transexualidad como objeto de estudio en formación profesional. En O. Moreno Cabrera y L. Puche Cabezas (Eds.). *Transexualidad, adolescencias y educación: miradas multidisciplinares* (pp. 305-316). Barcelona: Egales.

Plummer, K. (2003). La cuadratura de la ciudadanía íntima. Algunas propuestas preliminares. En O. Guasch y R. Osborne (Comps.). *Sociología de la sexualidad* (Cap. 2, pp. 25-50). Madrid: Centro de Investigaciones Sociológicas.

Principios de Yogyakarta (2006). Recuperado de www.yogyakarteprinciples .org

Proveyer, C. *et al.* (2010). *50 años después: mujeres en Cuba y cambio social*. La Habana: Oxfam International.

Puche Cabezas, L., Moreno Ortega, E., y Pichardo Galán, J. I. (2013). Adolescentes transexuales en la escuela. Aproximación cualitativa y propuestas de intervención desde la perspectiva antropológica. En O. Moreno Cabrera y L. Puche Cabezas (Eds.). *Transexualidad, adolescencias y educación: miradas multidisciplinares* (pp. 189-265). Barcelona: Egales.

Ramírez Calzadilla, J. (1998). Las relaciones Iglesia-Estado y religión-sociedad en Cuba. Informe de trabajo. La Habana: Centro de Investigaciones Psicológicas y Sociológicas.

Ricoeur, P. (2008). *Hermenéutica y acción*. Buenos Aires: UCA-Prometeo.

Riesenfeld, R. (2008). *Bisexualidades: entre la homosexualidad y la heterosexualidad*. México, D.F.: Paidós.

Ritzer, G. (2003). *Teoría sociológica contemporánea*. 1a. y 2a. partes. La Habana: Félix Varela.

Ritzer, G. (2007). *Teoría sociológica clásica*. La Habana: Félix Varela.

Ritzer, G. (s.f.). *Teoría sociológica contemporánea*. 3a. parte. La Habana: Félix Varela.

Rivero Pino, R. (2000). *Para comprender los roles sociales* [CD-ROM]. Santa Clara: Universidad Central de Las Villas.

Rivero Pino, R. (Comp.). (2009). *Reflexiones sobre género*. Santa Clara: Feijoo.

Rivero Pino, R. (2010). *Intervención comunitaria, familiar y de género*. Santa Clara: Feijoo.

Rivero Pino, R. (2014). *Lo local-comunitario: ámbito y cualidad para la educación integral de la sexualidad*. La Habana: Editorial CENESEX.

Rodigou, M. (2008). Seguridad, violencia y género en la ciudad. Análisis y perspectivas. En *Ciudades libres de discriminación I. Conceptualizaciones acerca de la discriminación en el ámbito local: experiencias compartidas con ciudades patagónicas* (pp. 33-38). Buenos Aires: Instituto Nacional contra la Discriminación, la Xenofobia y el Racismo (INADI).

Rodríguez, R. M., García, C. T., y Alfonso, A. C. (2008). Trastorno de identidad de género y personas transexuales. Pautas de atención psicológica. En M. Castro Espín (Comp.). *La transexualidad en Cuba* (pp. 105-122). La Habana: Editorial CENESEX.

Rodríguez Gómez, G., Gil Flores, J., y García Jiménez, E. (2002). *Metodología de la investigación cualitativa*. La Habana: Félix Varela.

Rodríguez Luna, R. (2009). Marginación y sexismo: la exclusión del movimiento feminista en las teorías de los movimientos sociales. En G. Nicolás Lazo y E. Bodelón González (Comps.). *Género y dominación: críticas feministas del derecho y el poder* (pp. 63-93). Barcelona: Anthropos.

Rodríguez Ojeda, M. (2010). Educación y perspectiva de género. Dimensiones e indicadores. En *Género, educación y equidad hacia un mundo mejor* (pp. 175-187). (s.l.): Ediciones Aurelia.

Rullán Bertson, R. (2005). Situación actual de la regulación de los derechos de identidad de género en España. En M. García Ruiz (Coord.). *Transexualidad: hombres y mujeres con todos los derechos* (pp. 28-43). (s.l.): Consejo de la Juventud del Principado de Asturias-Consejería de Salud y Servicios Sanitarios.

Sáez Sesma, S. (2005). Identidad y transexualidad. En M. García Ruiz (Coord.). *Transexualidad: hombres y mujeres con todos los derechos* (pp. 10-25). (s.l.): Consejo de la Juventud del Principado de Asturias-Consejería de Salud y Servicios Sanitarios.

Savin-Williams, R. C. (2009). *La nueva adolescencia homosexual*. Madrid: Ediciones Morata.

Selltiz, C., Wrightsman, L. y Cook, S. (1980). *Métodos de investigación en las relaciones sociales* (9a. ed.). Madrid: Rialp.

Serrano Lorenzo, Y. (2013). *El encargo social de la Federación de Mujeres Cubanas respecto a las familias*. (Tesis de Doctorado). Centro de Estudios Comunitarios, Universidad Central Marta Abreu de Las Villas.

Shelley, C. (2008). *Transpeople: Repudiation, trauma, healing*. Toronto: University of Toronto Press.

Skagerberg, E., Parkinson, R., y Carmichael, P. (2013, April/June). Self-harming thoughts and behaviors in a group of children and adolescents with gender dysphoria. *International Journal of Transgenderism*, *14*(2), 86-92.

Smiler, A., & Gelman, S. (2008). Determinants of gender essentialism in college students. *Sex roles*, *58*, 864-874.

Soler, C. (2007). *¿Qué se espera del psicoanálisis y del psicoanalista?* Buenos Aires: Letra Viva.

Spivak, G. (2008). *Outside of the teaching machine*. New York: Routledge.

Stoller, R. J. (1976). *Sex and gender. Volume II: The transsexual experiment*. New York: Jason Aronson.

Stoller, R. J. (1968/1984). *Sex and gender: The development of masculinity and femininity*. London: Karnac Books.

Stryker, S. (2008). *Transgender history*. Berkeley: Seal Press.

Subirats Martori, M., Pérez Sedeño, E. y Canales Serrano, A. F. (2013). Género y educación. En C. Díaz Martínez y S. Dema Moreno (Eds.). *Sociología y género* (Cap. 6, pp. 201-252). Madrid: Tecnos.

Taylor, I., Walton P. y Young J. (1973). *La nueva criminología. Contribución a una teoría social de la conducta desviada*. Buenos Aires: Amorrortu.

Tee, N., & Hegarty, P. (2006). Predicting opposition to the civil rights of trans persons in the United Kingdom. *Journal of Community and Applied Social Psychology, 16*(1), 70-80.

Torns, T., Recio Cáceres, C., y Durán M. A. (2013). Género, trabajo y vida económica. En C. Díaz Martínez y S. Dema Moreno (Eds.). *Sociología y género* (Cap. 5, pp. 153-200). Madrid: Tecnos.

United Nations. Centre for Human Rights. (1996). *The International Bill of Human Rights*. Human Rights Fact Sheet No. 2 (Rev. 1). Geneva: Autor.

Valentine, D. (2007). *Imagining transgender: An ethnography of a category*. Durham: Duke University Press.

Valle Lima, A. D. (2007). *Metamodelos de la investigación pedagógica* [CD-ROM]. La Habana: Instituto Central de Ciencias Pedagógicas, Ministerio de Educación.

Vázquez Seijido, M. (2014). *Identidades trans en el ámbito jurídico-laboral: algunos apuntes sobre el tema en Cuba.* Ponencia presentada en la Conferencia Internacional «Géneros, cultura, sociedades. Preguntas sobre la transexualidad», marzo, París. Centro de Documentación e Información Científico-Técnica, CENESEX, La Habana.

Velasco, V., y Tena Sánchez J. (2011?). *Bienestar sexual para jóvenes trans (travestis, transgeneristas y transexuales)*. México, D.F.: Centro de Capacitación y Apoyo Sexológico Humanista (CECASH).

Vendrell Ferré, J. (2003). Del cuerpo sin atributos al sujeto sexual: sobre la construcción social de los seres sexuales. En O. Guasch y O. Viñuales (Eds.). *Sexualidades: diversidad y control social* (Cap. 1, pp. 21-43). Barcelona: Edicions Bellaterra.

Vendrell Ferré, J. (2005, enero/diciembre). Sexualmente no identificados: aproximación al nomadismo sexual entre jóvenes mexicanos. *Revista de Estudios de Antropología Sexual, 1*(1), 93-111.

Viveros, M. (2009). *La sexualización de la raza y la racialización de la sexualidad en el contexto latinoamericano actual.* Recuperado de http://www.ucaldas.edu.co/docs/Ponencia_Mara_Viveros.pdf.

Walter, N. (2010). *Muñecas vivientes: el regreso del sexismo*. Madrid: Turner.

Weeks, J. (1993). *El malestar de la sexualidad: significados, mitos y sexualidades modernas*. Madrid: Talasa Ediciones.

Whittle, S., Turner, L., & Al-Alami, M. (2007). *Engendered penalties: Transgendered and transsexual people's experiences of inequality and discrimination.* Manchester: Manchester Metropolitan University and Press for Change.

Winter S., Webster, B., & Cheung, P. K. E. (2008). Measuring Hong Kong undergraduate students' attitudes towards trans people. *Sex Roles*, *59*, 670-683.

Winter, S., Chalungsooth, P., Teh, Y. K., Rojanalert, N., Maneerat, K., Wong, Y. W.,... Aquino Macapagal, R. (2009, April/June). Transpeople, transprejudice and pathologization: A seven-country factor analytic study. *International Journal of Sexual Health*, *21*(2), 96-118.

World Association for Sexual Health. (2008). *Salud sexual para el milenio: Declaración y Documento Técnico*. Minneapolis: Autor.

Zabala Argüelles, M.C. (2010). *Familia y pobreza en Cuba: estudio de casos*. La Habana: Publicaciones Acuario, Centro Félix Varela.

Referencias legales

Cuba. Ministerio de Salud Pública. Resolución ministerial no. 126, de 4 de junio de 2008.

Sobre la autora

MARIELA CASTRO ESPÍN

Graduada de la Escuela para la Formación de Educadoras de Círculos Infantiles (1977). Licenciada en Educación en la especialidad de Pedagogía-Psicología, Universidad Pedagógica Enrique José Varona de La Habana (1983). Especialista en Intervención Comunitaria, centrada en los Procesos Correctores de la Vida Cotidiana (ProCC), Centro de Desarrollo en Salud Comunitaria Marie Langer, Madrid, España (1994). Máster en Sexualidad por el Centro Nacional de Educación Sexual y el Instituto Superior de Ciencias Médicas de La Habana (1997). Doctora en Ciencias Sociológicas, Universidad de La Habana (2015). Profesora Titular de la Universidad Médica de La Habana y miembro del Polo de Ciencias Sociales y Humanidades desde 2016.

Directora del Centro Nacional de Educación Sexual (CENESEX) y de la revista *Sexología y Sociedad* desde 2000. Forma parte del Comité Nacional de la Federación de Mujeres Cubanas desde 2009. Diputada de la Asamblea Nacional del Poder Popular desde 2013. Fue una de las veinticinco personalidades que integraron el Grupo de Trabajo de Alto Nivel para la Conferencia Internacional de Población y Desarrollo, de la Organización de Naciones Unidas (2012-2016).

Integra diferentes asociaciones científicas nacionales e internacionales, entre las que se destacan la Asociación de Profesionales de la Salud Transgénero (WPATH); la Sociedad Cubana Multidisciplinaria para el Estudio de la Sexualidad (SOCUMES), de la que fue su presidenta por diez años; y la Sociedad Mundial de Salud Sexual (WAS), en la que integró su Consejo Asesor (2005-2013).

Es reconocida por su activismo en favor de los derechos sexuales como derechos humanos, especialmente de las personas LGBTI. Preside la Comisión Nacional de Atención Integral a Personas Transexuales desde 2005 y las Jornadas Cubanas contra la Homofobia y la Transfobia desde 2007.

Su trabajo académico y activismo social le han hecho merecedora de numerosos reconocimientos por instituciones y organizaciones nacionales e internacionales, entre los que se encuentran: Public Service Award 2009, conferido por la Society for the Scientific Study of Sexuality; Premio Eureka 2012 a la Excelencia Científica, otorgado por el World Council of Scholars College (COMAU); Grand Prix Council Québécois LGBT, Canadá (2013); Diploma al Mérito Científico, por la Facultad de Ciencias Médicas Manuel Fajardo, como expresión de apreciación de su relevante trabajo en el desarrollo científico (2012); International Ally for LGBT Equality Award, por el Equality Forum (Filadelfia, 2013); Premio Nacional de la Academia de Ciencias de Cuba 2015, por resultados de investigación de 2014; Premio ÚNETE al Compromiso con la Igualdad y la No Violencia de Género, del Sistema de las Naciones Unidas en Cuba (2016); Premio Justicia Global, otorgado por el Instituto de Justicia Global de las Iglesias de la Comunidad Metropolitana (ICM) (2016); y Premio Maguey Activismo FIC-2017, Guadalajara, México.

Ha publicado numerosos artículos científicos y más de diez libros en Cuba y otros países.